*Désastres causés par la nature ou
forces surn...
passent l'em...*

*Désastres causés par la nature ou forces sur...
naturelles qui dépassent l'empire de
l'homme ?*

On l'appelle la « Mer Porte-malheur », le
« Triangle du Diable », la « Mer de l'En-
voûtement », le « Triangle de la Mort », et le
« Port des Disparus ». Quelle est donc la
vérité au sujet de cette région qui semble inof-
fensive dans l'océan Atlantique, de ces flots
qui ont bercé quantité de voyageurs en toute
quiétude mais qui ont aussi réclamé un grand
nombre de victimes dans les circonstances les
plus étranges ? Des milliers de personnes ont
payé de leur vie, leur droit de passage ; des
centaines de navires et d'avions y disparurent
sans laisser de trace. Pourquoi ? Vers quel
destin ? Comment ?

Enfin, voici un livre qui lève le voile sur le
mystère de ces eaux meurtrières pour mettre à
nu tous les faits, parfois renversants mais toujours épouvantables de

L'ÉNIGME
DU
TRIANGLE
DES BERMUDES

L'ÉNIGME DU TRIANGLE DES BERMUDES

Rédigé sous la direction de

MARTIN EBON

(Traduit de l'américain par Guy Maheux)

PRESSES SÉLECT LTÉE.,
1555 Ouest rue de Louvain,
Montréal, P.Q. H4N 1G6

L'auteur désire exprimer sa reconnaissance pour leur coopération aux différents services de Gardes-Côtes américains, particulièrement à New York et Washington, D.C.

TABLE DES MATIÈRES

I. LES DISPARITIONS MYSTÉRIEUSES

II. LES PARTIES DE L'ÉNIGME

III. IDÉES FANTASQUES, CONJECTURES, ET CERTITUDES

mondes étranges de la physique actuelle où « la matière devient expérience plutôt que substance ; où les objets peuvent exister dans plusieus endroits au même moment et même aller ici et là sans avoir à franchir de distances. Là où le temps lui-même peut faire marche arrière. » page 123

AVANT-PROPOS DE L'ÉDITEUR

LÉGENDE ET RÉALITÉ

Les bateaux et les avions qui sont disparus dans la région des Caraïbes de l'océan Atlantique connue sous le nom de Triangle des Bermudes sont devenus des sujets d'émissions de radio et de télévision, d'articles de livres et de magazines, en plus d'animer les conversations dans les foyers, les universités et les endroits d'amusement à travers l'Amérique. On entend parler de l'Énigme du Triangle dans les restaurants, les magasins et les salles de quilles ; les aspects mystérieux de cette réalité légendaire contemporaine fascinent des millions de citoyens.

Mais le terme « réalité légendaire » n'est-il pas une contradiction ? Un fait peut-il à la fois être légende et réalité ? Oui, car c'est particulièrement vrai en ce qui touche les événements du Triangle des Bermudes. Une légende est née autour des documents authentiques sur la perdition de bateaux et d'avions. Ces documents nous disent que ces disparitions sont imputables à des forces ou des entités mystérieuses et que des vaisseaux semblent avoir été tirés vers le fond ou arrachés par des éléments inconnus pour des motifs qui nous laissent perplexes et effrayés.

Ce livre devrait servir à jeter la lumière sur la réalité et la fiction. Ses collaborateurs sont des autorités dans leurs domaines respectifs. Leurs récits et commentaires s'appuient sur des observations personnelles ou sur les meilleures sources de renseignements mises à leur disposition. Je suis surtout reconnaissant envers Vincent H. Gaddis, celui-là même qui inventa l'expression « Triangle des Bermudes, » d'avoir consenti à nous communiquer son point de vue d'ensemble sur le sujet. Sa contribution est la plus importante de cet ouvrage, et nous lui devons aussi la liste des victimes du Triangle des Bermudes que vous trouverez dans la dernière section du livre.

L'Énigme du Triangle des Bermudes n'a pas l'intention d'émettre une opinion dogmatique quelconque sur la valeur ou la cause du phénomène de ces disparitions mystérieuses dont il traite. En effet, cet ouvrage servira de plate-forme pour l'émission d'un bon nombre d'idées valables dont le but est d'éclaircir cette réalité légendaire.

Dans ces pages, vous trouverez l'un des derniers écrits de Ivan T. Sanderson, écrivain-explorateur coloré, capable et énergique. Nous voulons donc dédier cet ouvrage à la mémoire de Ivan Sanderson (1911-1973), et à celle de Hans Stefan Santesson (1914-1975), qui furent respectivement fondateur-administrateur et président du Conseil d'administration de la **Society for the Study of the Unexplained**.

Martin Ebon

PREMIÈRE PARTIE

LES DISPARITIONS MYSTÉRIEUSES

1. LE CRÉPUSCULE DE LA MORT

par Vincent H. Gaddis

Celui qui créa l'expression « Triangle des Bermudes » regrette aujourd'hui d'avoir utilisé un terme qui laisse sous-entendre des frontières déterminées pour les phénomènes inexplicables qui furent enregistrés dans les régions environnantes de l'Océan Atlantique et de la Mer des Antilles. Monsieur Gaddis est un évrivain et un chercheur renommé dans le domaine du mystérieux et de l'inconnu. Parmi ses nombreux livres mentionnons *Mysterious Fires and Lights*. Sa contribution à cet ouvrage comporte aussi la liste la plus à jour et définitive des « victimes du Triangle des Bermudes ». Elle constitue le chapitre 18.

Dans cette région les avions disparaissent dans le ciel, les bateaux, ou parfois leur équipage seulement, s'évanouissent. Tirons une ligne depuis la côte de la Floride jusqu'à Porto Rico, puis au nord jusqu'aux Bermudes et revenons à notre point de départ. Voilà le Triangle des Bermudes, un terme journalistique qui est aussi mal approprié que « soucoupes volantes » et « abominable homme des neiges. » J'ai employé ce nom dans un article du magazine Argosy (février 1964) et plus tard dans mon livre **Invisible Horizons** (Chilton 1965).

Aujourd'hui je le regrette. Un triangle signifie que ces phénomènes pourraient avoir des frontières. D'autres écrivains l'ont appelé un ovale. Richard Winer, co-producteur du documentaire télévisé **The Devil's Sea**, se sert du même terme dans le titre de son livre **The Devil's Triangle** (Bantam Books, 1974). Seulement, écrit-il, il ne s'agit pas du tout d'un triangle. « C'est un trapèze, un quadrilatère dont deux côtés sont parallèles et inégaux, » explique-t-il. « Et les quatre premières lettres du mot trapèze (trap : traduction anglaise de piège) sont plus que suffisantes pour le décrire.) Néanmoins, le mot « triangle » sera toujours utilisé, ainsi que « soucoupe », et nous l'acceptons pour les besoins de la cause.

En vérité ces mystères maritimes se produisent tout autour d'une région informe de la Mer des Antilles et de l'Océan Atlantique, et même dans la Mer des Sargasses, le légendaire « Cimetière de bateaux perdus. » A l'encontre des malchances habituelles qui sont la bête noire des voyages par terre et par mer, ces événements sont des disparitions complètes : point d'épave, point de cadavres, point de nappes d'huile. D'après les comptes rendus de ceux qui eurent à combattre les forces étranges de cette zone ténébreuse de l'océan et qui survécurent, les phénomènes incluent des manifestations magnétiques étonnantes, des anomalies de la vue, ainsi que des zones de silence radiophonique.

A la suite de mon article dans **Argosy**, j'ai reçu parmi d'autres une lettre de Gerald C. Hawkes. En 1952, ce dernier venait de terminer une longue période de service commandé en Corée. Lui-même et un camarade qui est aujourd'hui chirurgien dans la ville de New York, décidèrent de prendre des vacances dans les Bermudes. Ils s'envolèrent de New York à bord d'un quadrimoteur à hélices de la B.O.A.C. Ils survolaient de nombreux nuages et le voyage était calme. Soudainement l'énorme avion fit une chute libre de quelques centaines de pieds.

« Nous n'avons pas piqué du nez », écrivait Hawkes, « mais il nous a semblé que nous avions cessé tout à coup d'avancer et que nous tombions en droite ligne . . . nous commencions à peine de comprendre ce qui se produisait et essayions de rejoindre nos sièges lorsque l'avion s'élança vers le haut nous faisant reprendre avec brutalité nos positions originales. C'était comme si une main géante s'était emparé de l'avion et l'agitait de haut en bas. Les bouts des ailes oscillaient d'une vingtaine de pieds et l'appareil tout entier gémissait comme tiraillé par deux forces, l'une tirant vers le haut et l'autre vers le bas. »

Ce mouvement de haut en bas se poursuivit pendant environ une demi-heure et cessa graduellement. Le capitaine tenta de calmer ses passagers saisis de frayeur en leur disant que l'avion ne pouvait se désintégrer, mais il leur annonça aussi qu'il faisait face à un problème encore plus grave. Il ne savait plus où étaient situées les Bermudes, et il ne pouvait plus rétablir les communications, ni avec les États-Unis, ni avec les Bermudes. Il fallait prendre une décision. Il pouvait faire demi-tour et atterrir en Floride, ou encore survoler les Bermudes et essayer de communiquer par radio avec un navire qui voguait plus loin. Vu que cette étrange turbulence diminuait et qu'il leur restait plus de carburant qu'il en fallait pour revenir sur la terre ferme, ils décidèrent de continuer, d'établir un contact radiophonique avec un vaisseau de communications, et de s'approcher des Bermudes du côté de l'Océan Atlantique.

Durant l'heure qui suivit, la porte du cockpit resta ouverte et les passagers purent entendre l'opérateur qui essayait sans succès de communiquer avec les États-Unis, les Bermudes et le bateau de communications. Enfin, une voix forte et claire se fit entendre en ondes. C'était le bateau. Ils reçurent leurs coordonnées, firent demi-tour, et eurent bientôt les Bermudes à la radio. Hawkes avait constaté que le ciel était clair et étoilé et qu'il n'y avait aucune explication raisonnable pour le silence radiophonique.

« Tout ceci arriva il y a dix ans », ajoute-t-il, « mais je me demande encore si nous ne faisons pas partie du petit nombre des chanceux qui furent pris dans le Triangle des Bermudes, là où le temps et l'espace ne semblent pas exister, et en sortirent sains et saufs. Je suis souvent assailli par la pensée que peu s'en fallut que nous ne soyons inscrits dans un livre quelconque comme faisant partie d'un vol disparu mystérieusement quelque part entre New York et les Bermudes. »

Le 16 mars 1971, le Triangle du Diable et autres endroits similaires où se produisent les disparitions troublantes étaient l'objet d'une émission de télévision animée par Dick Cavett. Parmi les invités se trouvaient Arthur Godfrey et feu Ivan T. Sanderson. Au sujet des perturbations magnétiques, Godfrey affirma que lui-même ainsi que d'autres pilotes chevronnés survolaient l'océan entre New York et la Floride afin de gagner une centaine de milles. Mais en ce faisant, ils gardent un oeil circonspect sur leurs instruments, particulièrement le compas.

Il existe une autre Mer du Diable à l'est des Îles Bonin dans le Pacifique-ouest au sud du Japon. La disparition de bateaux de pêche força le gouvernement japonais à envoyer un vaisseau de reconnaissance dans cette région. Il disparut lui aussi. Après la deuxième Grande Guerre, cette région se trouvait dans la ligne de vol entre le Japon et Guam, et l'aviation américaine manifesta son inquiétude au sujet de la disparition d'appareils militaires.

C'est là qu'Arthur Godfrey se trouva dans une zone de silence radiophonique. Pendant une heure et demie il fut complètement isolé du monde extérieur et n'avait de carburant pour quatre heures seulement. « Ce n'est pas très agréable ! » affirma-t-il aux auditeurs. Répondant à une question formulée par Dick Cavett il répondit que de telles régions justifiaient sûrement la tenue de sérieuses enquêtes scientifiques.

Après avoir étudié les endroits où les disparitions sont très fréquentes, Sanderson trouva qu'il semblait y en avoir dix autour du globe, réparties avec précision en bipolaire : cinq dans l'Hémisphère du nord centrées à environ 72 degrés de distance longitudinalement, et cinq autres placées de façon semblable dans l'Hémisphère du Sud mais toutes déplacées quelque 20 degrés vers l'est. Ces dix régions anormales ne semblaient avoir de corrélation qu'avec les courants océaniques de surface.

« Cependant », écrivait Sanderson, « des pilotes commerciaux et militaires se mirent à nous transmettre des renseignements d'une toute autre nature. Nous avons donc appris que dans ces dix régions, ou aux environs, il semblait y avoir des anomalies de temps. Réduit à sa plus simple expression cela signifie qu'un avion pourrait sembler être rendu à destination beaucoup trop tôt ou beaucoup trop tard : selon ses propres instruments dans un cas, et selon les compilations sur terre, dans l'autre. »

Si cette théorie est bonne, il semblerait que la terre est une gigantesque machine à électricité statique comportant non seulement cinq points bipolaires représentés par les dix régions anormales ou tourbillons, mais six. La sixième paire est représentée par les deux pôles magnétiques Nord et Sud. L'anomalie dans le temps proviendrait d'une courbure de l'espace.

Il y a également des anomalies de la vue qui semblent précéder quelques disparitions. Ce fait fut constaté durant le plus célèbre mystère de l'aviation, la mission fatidique du Flight 19 de l'ancienne base aéronavale de Fort Lauderdale en Floride, le 5 décembre 1945. Cet après-midi-là un escadron de cinq avions torpilleurs effectuait un vol d'entraînement au-dessus de l'Atlantique. La tour de contrôle reçut un message angoissé de la part du commandant de la formation. L'escadron avait perdu sa route, et ne pouvait plus voir la terre.

Il était seize heures, le soleil brillait à l'ouest et le temps était clair. La tour signala de mettre le cap plein ouest. La réponse du commandant étonna tout le monde. « Nous ne savons pas où est l'ouest, » dit-il. « Tout est anormal . . . bizarre. Même la mer n'a pas son aspect coutumier ! » Ensuite, les cinq avions s'évanouirent, pour être suivis dans leur vol sans retour par un énorme hydravion de sauvetage Martin Mariner qui s'était mis à leur recherche.

Mentionnons aussi l'histoire tragique de Caroline Coscio, une infirmière de 24 ans de Miami Beach. Le 6 juin 1969 elle louait un Cessna 172 et décollait de Pompano Beach à destination de la Jamaïque avec un passager mâle. Elle fit le plein à Georgetown dans les Bahamas et repartait pour Grand Turk Island où elle devait faire le plein une autre fois. A 19h.30 l'opérateur de la tour de Grand Turk reçut un message de la jeune femme lui disant qu'elle était perdue et que son radio-goniomètre de bord fonctionnait mal. Elle demandait de l'aide.

Elle disait qu'elle survolait « deux îles, mais qu'elle ne voyait rien en bas ». Des pensionnaires d'un hôtel d'Ambergris Cay virent à ce moment-là un avion qui volait en cercle à peu de distance. Un pilote d'avion à réaction voulut aider mademoiselle Coscio en lui transmettant des instructions, mais sans succès car il ne connaissait pas sa position. Son dernier message annonça qu'elle n'avait plus d'essence. Les chercheurs ne trouvèrent aucune trace de l'appareil. Comment se fait-il que les pensionnaires de l'hôtel pouvaient apercevoir le Cessna, car à cette époque de l'année il faisait encore jour, et pourtant elle affirmait « il n'y a rien en bas » ? Si elle avait pu voir l'hôtel et le décrire de même que la forme des deux récifs de corail, on aurait pu trouver sa position.

Il arrive parfois que les perturbations magnétiques atteignent des sommets effrayants. En décembre 1972, Chuck Wakely et son co-pilote Sam Mathes s'envolaient de Bimini vers Miami. Leur Piper Aztec était contrôlé par le pilote automatique. Ils venaient de survoler Andros Island à 8 000 pieds d'altitude.

« Je regardais par la fenêtre », raconta Wakely, « quand je constatai que les ailes semblèrent devenir translucides. On aurait dit qu'elles acquéraient un reflet bleuâtre qui allait en s'intensifiant. En peu de temps cette lueur inonda le cockpit, noyant les feux rouges des instruments. C'est alors que ces mêmes instruments devinrent fous. D'abord, le pilote automatique se débrancha. Ensuite tout le système électrique devint erratique. Les indicateurs des réservoirs à essence qui étaient aux trois quarts quelques instants auparavant, atteignirent soudainement le plein. Puis le compas se mit à tourner, non pas comme une toupie, mais régulièrement et lentement dans une série de révolutions à 360 degrés. Je ne comptai pas le nombre de tours.

« Nous nous dirigions alors en ligne droite sur Bimini, et non pas vers la Floride ! Nous ne pouvions rien y faire. Il était tard, nous ne pouvions voir l'horizon, nous n'avions pas de compas, et nous n'avions pas non plus d'autres instruments sur lesquels compter. Par conséquent, nous ne pouvions qu'essayer de stabiliser l'appareil à l'aide des ailerons. Alors, pendant que nous tentions de communiquer avec la tour de contrôle de Nassau, la lumière bleue se mit à disparaître et tout redevint normal. Cet épisode se déroula dans l'espace de cinq ou six minutes. »

J'ai un ami avec qui je corresponds. Il s'agit du capitaine Robert J. Durant qui est un pilote de ligne. Nous sommes tous les deux membres de la **Society for the Investigation of the Unexplained**, fondée en 1965 par Ivan T. Sanderson et quelques-uns de ses associés. L'un de ses propres amis qui lui aussi est pilote, l'échappa belle dans un des incidents les plus terribles où se manifestèrent les forces sinistres du Triangle. Naturellement, la ligne aérienne n'en souffla mot, et le seul compte rendu de cet incident parut dans le journal trimestriel de la **Society** : « Pursuit » (juillet 1973).

Le vol était parti de San Juan et se dirigeait vers New York à 35 000 pieds d'altitude. Le premier indice que tout n'était pas normal fut l'absence de ces petits soubresauts occasionnels qui se présentent même dans les meilleures circonstances. Après quelques minutes de parcours à travers cette atmosphère trop claire pour être naturelle, des sillons d'électricité statique apparurent sur le pare-brise de l'avion. Rien d'extraordinaire à cela sauf que généralement ce phénomène ne se produit que lorsque l'on traverse d'épais nuages, particulièrement au-dessus des orages. Ces petites décharges électriques de couleur pourpre sont inoffensives.

Le temps passa et les décharges d'électricité statique devinrent si violentes qu'elles recouvrirent d'une lueur d'un blanc éclatant le pare-brise tout entier. Le capitaine Durant, malgré toute son expérience, n'avait jamais vu ni entendu mentionner une telle occurence. Le réacteur poursuivait sa route dans l'air paisible. L'étrange reflet électrique augmenta d'intensité.

A ce moment là l'appareil était piloté automatiquement et devait voler en ligne droite sur un plan horizontal. Soudainement le co-pilote se rendit compte que l'indicateur du pilote automatique situé de son côté du cockpit annonçait que l'avion déviait de sa route et effectuait un virage. Pour sa part, le capitaine regarda son compas gyroscopique pour confirmer cet état de chose, mais ne put constater de déviation. Il y avait un écart entre les instruments du capitaine et ceux du co-pilote, de chaque côté du cockpit. Les gyroscopes et les compas n'offraient pas les mêmes lectures.

Le récit du capitaine continue : « La situation était très sérieuse, surtout pour un turbo-réacteur. En effet les avions à réaction dépendent presque entièrement de leurs instruments. Ces derniers tombent en panne parfois, mais il existe des procédures à suivre pour solutionner de tels problèmes. Cependant le cas qui nous préoccupe n'avait pas été prévu dans les manuels de directives. Nous ne pouvions savoir lesquels des deux instruments étaient exacts, ni même s'ils étaient tous deux en mauvais état. L'équipage se trouvait donc plongé dans une situation d'urgence. »

Comme mesure de protection en cas de panne électrique totale, il y avait à bord un petit gyromètre qui fonctionnait à l'aide de piles. Le capitaine s'en servit afin de voir lequel des deux autres appareils étaient en bon état et découvrit, à sa grande stupéfaction, que le troisième donnait lui aussi des renseignements qui différaient complètement des deux autres.

Ils étaient alors à 100 milles au sud des Bermudes où se trouvait un excellent système de radar à longue portée. Le capitaine décida de s'en remettre entièrement au gyromètre à batteries et demanda à la tour de contrôle des Bermudes d'utiliser son radar pour lui fournir les données nécessaires pour un atterrissage d'urgence. La suite se déroula sans anicroche.

Les mécaniciens de l'aérogare ne purent trouver les raisons du mauvais fonctionnement des instruments. L'ami du capitaine Durant n'avait jamais entendu parler du Triangle avant cette nuit fatidique. Désormais, il en sut quelque chose ! Un mécanicien plongea la tête dans le cockpit et lui dit : « Voulez-vous connaître votre problème ? Vous venez de traverser le Triangle des Bermudes ! »

Quelqu'un téléphona immédiatement au Service technologique de cette ligne aérienne, à New York. Les ingénieurs insistèrent que ce qui venait d'arriver relevait de l'impossible. Après quelques jours d'examens et de hochements de tête, les mécaniciens aux Bermudes donnèrent leurs langues au chat. L'avion retourna à New York en plein jour sans d'autres incidents.

C'est là que des experts se mirent à l'oeuvre. Ils constatèrent que le système électrique ainsi que tous les instruments manifestaient des signes d'exposition « à une commotion électrique d'une extrême violence, probablement après avoir été frappés par la foudre. » La canalisation et les instruments furent complètement remplacés. Pourtant il n'y avait pas eu de coup de foudre. Les pilotes le savent lorsque la foudre frappe leur avion. Il se produit alors un éclair brillant en même temps qu'une détonation éclatante ; non pas sur une lueur statique continue.

On a su plus tard qu'un autre avion de ligne, un quadrimoteur turbo-propulseur parti d'Angleterre, avait atterri aux Bermudes à cause de problèmes d'instruments. Malheureusement, l'ami du capitaine Durant était si préoccupé par sa propre mésaventure qu'il oublia de parler avec l'équipage anglais.

Phénomènes de grande intensité magnétique-électrique. Anomalies de la vue. Distorsions du temps. Silence radiophonique. Ces avions et ces bateaux disparus ont-ils traversé ce que Sanderson appelle un « abominable tourbillon », ouverture fantaisiste vers d'autres royaumes, dimensions, univers ? Ou se sont-ils simplement et totalement désintégrés dans un nuage d'atomes sous la pression d'une force titanique. Les événements fantastiques attirent l'esprit vers des théories fantastiques. Les équipages de bateaux abandonnés mais capables de tenir la mer ont-ils été enlevés par des OVNI ? Il est arrivé souvent que des équipages entiers disparaissent sauf les chiens ou les mascottes. Il est une superstition chez les gens de mer à l'effet que vous êtes voué à la perdition si vous abandonnez une mascotte.

La réponse se trouverait-elle sous l'eau ? En route vers la lune, les astronautes de la mission Apollo s'émerveillaient à la vue de la blancheur de la mer dans la région du Triangle, et des pilotes ont eu les mêmes émotions à haute altitude. Il semble qu'il y ait une agitation continuelle loin sous la surface. Se pourrait-il qu'une source complexe de puissances repose au fond de l'océan depuis qu'une civilisation supérieure à la nôtre fut engloutie dans l'océan ? Cette source suscite-t-elle de temps à autre des champs magnétiques qui condamnent les navires et les avions ?

À l'ouest de Bimini on a découvert sous environ trente pieds d'eau des ruines de pierres géantes taillées par des hommes. Le fameux prophète « dormant » Edgar Cayce affirmait que l'Atlantide se trouvait dans cet entourage, ajoutant que les habitants de ce continent perdu obtenaient des sources d'énergie stupéfiante à partir de crystaux. Ces sources d'énergie seraient semblables à celles des rayons masers et lasers.

Une autre théorie veut qu'il y ait un monde parallèle à trois dimensions qui interpénètre notre propre univers, existant en même temps que nous et occupant le même espace. Il y aurait des voies d'accès entre ces deux mondes. Les objets et les êtres humains pourraient franchir ces ouvertures ou tourbillons, et se retrouver dans cet univers parallèle. On est de plus en plus d'avis que c'est là, également, l'origine des Objets Volants Non Identifiés.

Les hommes qui sont morts et ceux qui sont disparus à tout jamais ne racontent pas d'histoires. Si nous voulons résoudre le mystère du Triangle, il nous faut examiner les comptes rendus de ceux qui eurent à vivre l'expérience et en sortirent vivants. On a émis l'opinion que nous ne sommes pas encore assez développés pour résoudre l'énigme des OVNI ; qu'il nous faudra attendre jusqu'au vingt et unième siècle et plus, avant d'avoir acquis la connaissance suffisante et fait les découvertes nécessaires. Cette opinion s'applique peut-être à l'énigme du Triangle.

Malgré notre avancement technologique, malgré la rapidité avec laquelle nous pouvons maintenant nous déplacer, malgré les communications instantanées par le truchement de la radiophonie, un kilomètre est toujours un kilomètre et les dangers de la mer sont toujours présents. L'inconnu demeure immense et s'imprègne de l'ombre floue des damnés que craignaient nos ancêtres.

2. LES EAUX PORTE-MALHEUR

par C. Winn Upchurch

On retrouve ailleurs des phénomènes semblables à ceux qui sont observés dans le Triangle des Bermudes. Le compte rendu suivant traite spécifiquement des menaces à la navigation près de l'Ile-au-Sable, au large de la Nouvelle-Ecosse, Canada, dans l'Atlantique-Nord. L'auteur est un observateur chevronné des activités et des risques maritimes. Il situe les menaces de l'Ile-au-Sable dans l'ensemble des disparitions mystérieuses et inexplicables. Cet article fut d'abord écrit pour le bulletin de la *U.S. Coast Guard Alumni Association*, et peut être considéré comme un résumé particulièrement concret et impartial du sujet.

Il n'y a probablement pas d'autres voies maritimes au monde qui ont entraîné la perte d'autant d'hommes et de bateaux qu'une île flottante et une « Mer du Diable », toutes deux situées au large des côtes de l'Atlantique.

Des milliers de navires et des dizaines de milliers de vies humaines se sont anéantis à l'Ile-au-Sable près de la Nouvelle-Ecosse, dans une région rectangulaire qui s'étend sur quelque centaines de milles au large de l'Atlantique jusqu'aux Bermudes au nord, et jusqu'à Cuba au sud.

Il est possible de comprendre pourquoi l'Ile-au-Sable constitue une menace pour la navigation, mais rien de logique ne peut expliquer pourquoi tant d'hommes et de bateaux ont été perdus dans la Mer du Diable, la plupart sans laisser de traces : pas de débris, pas de cadavres, pas d'indices.

Même les avions n'ont pu échapper à ces eaux porte-malheur.

En survolant cette masse liquide, des avions disparurent complètement sans appel au secours et sans laisser des vestiges qui auraient pu servir à expliquer ces mystères.

L'Ile-au-Sable est une languette qui se déplace au sud-est de la Nouvelle-Ecosse et qui est connue comme le « cimetière de l'Atlantique. »

Depuis sa découverte il y a plus de 450 ans, cette île perfide a attiré et détruit plus de 500 bateaux et 10,000 vies. Elle se déplace vers l'est à raison d'un huitième de mille par année environ, jonchée de bateaux naufragés.

La croyance populaire veut que de l'or pour une valeur de deux millions de dollars dorme dans les coffres-forts de navires dispersés ici et là dans le sable et sur les brisants. Les faits à l'appui de cette affirmation se retrouvent dans les **Disaster Books** de la librairie maritime de l'**Atlantic Mutual Insurance Company**.

Avant que l'on y installe deux projecteurs, un radiophare et un poste de sauvetage, l'Ile-au-Sable constituait un danger mortel pour la navigation. On peut difficilement l'apercevoir sur l'océan quand il fait sombre et elle est entourée de remous perfides.

Les **Disaster Books** de l'**Atlantic Mutual** disent ceci au sujet de cette île flottante et artificieuse : « Hier c'était la pleine mer à l'endroit même ou aujourd'hui se trouvent des hauts-fonds sablonneux qui ne sont recouverts que de quelques pieds d'eau. »

L'histoire de l'Ile-au-Sable commence par un naufrage.

Au début des années 1500, l'Admiral qui était parti d'Angleterre pour fonder une colonie à Terre-Neuve, sombra ainsi que son équipage de 100 hommes. En 1801, le transporteur britannique Amelia périt ainsi que les 200 membres de son équipage, sauf un. Une goélette qui était partie en quête de survivants fit elle-même naufrage et encore une fois il n'y eut qu'un seul survivant.

Le plus tragique naufrage de l'Ile-au-Sable se produisit en 1898. Il y eut 500 pertes de vies lorsque le Bourgogne et le Cromartyshire entrèrent en collision.

Le naufrage le plus inusité fut celui du Myrtle. Ce navire sombra et fut abondonné en janvier 1840 ; il parvint à se libérer, dériva et atteignit les Açores en juillet. Il fut réparé et reprit la mer encore une fois.

Avant l'installation de phares et de postes de sauvetage, l'Ile-au-Sable n'était peuplée que par deux fantômes du dix-septième siècle et un troupeau de baudets sauvages. D'après les dossiers de l'**Atlantic Mutual,** un de ces fantômes était un gentilhomme français qui avait été banni par le roi. L'autre serait un anglais qui se promenait de long en large en chantant des psaumes. Du moins c'est ce que disent les légendes.

Les baudets seraient les descendants d'un troupeau de chevaux naufragés.

En vérité, l'Ile-au-Sable était à juste titre une île sinistre.

Quelque soixante bateaux et avions ont vogué ou volé vers ces eaux porte-malheur au large des côtes de l'Atlantique pour s'y engloutir.

En mars 1866, la barge suédoise Lotta qui était partie de Goteborg et filait vers la Havane, disparut au nord d'Haïti. Deux ans plus tard, le Viego de la marine marchande espagnole disparut également au même endroit.

La frégate-école britannique Atalanta leva l'ancre aux Bermudes en janvier 1880 pour se rendre en Angleterre et ne donna jamais signe de vie. À son bord se trouvaient 250 cadets et marins.

Quatre ans plus tard, la goélette italienne Miramon, en route vers la Nouvelle-Orléans, disparut dans cette même partie de l'océan.

Dans les cas qui précèdent les chercheurs ne pouvaient s'expliquer l'absence complète d'épaves. Jamais on ne put trouver d'indices sur le sort de ces vaisseaux.

La première victime de cette « Mer du Diable » à retenir l'attention mondiale fut le charbonnier américian Cyclops qui tirait 19 500 tonnes et qui avait la réputation d'être ce qu'il y avait de mieux comme bâtiment marin lorsqu'il fut construit en 1910.

Le 4 mars 1918, il quitta la Barbade vers Norfolk, Virginie. Il avait à son bord 221 hommes d'équipage et 57 passagers. Il était attendu à Norfolk le 13 mars. Il n'arriva jamais.

Les recherches les plus intensives jamais vues furent entreprises mais on ne put jamais découvrir le moindre indice sur la disparition du Cyclops.

On étudia la possibilité d'une attaque par un sous-marin allemand mais nul ne le prouva jamais. Le Cyclops était fort bien muni d'équipement radiotélégraphique et de chaloupes de sauvetage. Après la guerre, les dossiers de l'Amirauté inpériale germanique démontrèrent qu'il n'y avait aucun **U-Boat** dans la région entre le moment où le Cyclops prit le large et le temps de sa disparition.

Plus récemment, les victimes de la Mer du Diable ont été le cargo américain Cotopaxi, perdu en janvier 1925 alors qu'il voguait de Charleston, Caroline du Sud, vers la Havane ; le cargo Sudoffco, qui disparut complètement en route de Port Newark vers Porto Rico ; en octobre 1931 le bateau norvégien Stavanger disparut au sud de Cat Islands dans les Bahamas ; le cargo américain Sandra quitta le port de Savannah, Georgie, en 1950. On l'aperçut pour la dernière fois au large de St. Augustine, Floride.

Le seul dénominateur commun entre ces disparitions de tous ces vaisseaux, est que tous étaient équipés de radio et nul n'émit de signaux de détresse. Aucun de ces bateaux fut aux prises avec le mauvais temps et malgré des recherches très élaborées, on n'a jamais pu retrouver de leurs traces.

Cependant, une disparition récente laissa un indice derrière elle : un gilet de sauvetage qui flottait, seul.

Le tanker moderne Marine Sulphur Queen partit de Beaumont, Texas, le matin du 2 février 1963 pour se rendre à Norfolk. Une journée plus tard on enregistra sa dernière transmission par radio. Elle donnait sa position près de Key West au sud de la Floride. Ensuite, silence complet. Les gardes-côtes entreprirent des recherches systématiques à l'aide de bateaux et d'avions et ne purent trouver que le gilet de sauvetage solitaire sur une mer calme, à environ 40 milles au sud-ouest de la dernière position signalée par le tanker.

Rien d'autre ne fut retrouvé. Pas de bateaux de sauvetage à la dérive, pas de taches d'huile, aucune indication sur le sort des 39 hommes qui étaient partis de Beaumont sur le Sulphur Queen.

L'absence de tout cadavre a été l'aspect le plus déconcertant de ces disparitions. Dans la plupart des naufrages, les requins et les barracudas se précipitent sur les corps flottants dont quelques morceaux échouent sur le rivage.

Mais ceci n'est pas le propre de ces étranges disparitions de bateaux dans cette mer de malheur.

Toutefois, la disparition la plus bouleversante ne fut pas celle de bateaux, mais d'avions.

Au cours de l'après-midi du mercredi 5 décembre 1945, cinq avions torpilleurs Avenger s'élancèrent de la base aéronavale de Fort Lauderdale, Floride, mirent cap à l'est vers l'Atlantique, et ne donnèrent jamais plus signe de vie.

Pour épaissir le mystère un gros hydravion Martin Mariner ayant 13 hommes à son bord décolla de Fort Lauderdale pour se joindre aux recherches et disparut également.

Les cinq avions torpilleurs transportaient un total de 14 hommes.

Dix minutes après le départ de l'hydravion, la tour de contrôle perdit tout contact avec lui et ne put le rétablir. Vers la tombée de la nuit il devint évident pour les hommes de la base qu'ils avaient perdu le sauveteur de même que les cinq avions qu'il avait pour mission de sauver.

Une douzaine d'avions survolèrent la région avant la tombée du soleil. La mer était calme, le vent léger, le ciel clair ; mais il ne purent trouver un seul indice.

Plus tard, les recherches devinrent encore plus intensives lorsque s'ajoutèrent le porte-avions Solomons et 21 bateaux. Environ 260 avions américains explorèrent l'océan du haut des airs avec l'assistance de 30 avions de la **Royal Air Force** en provenance des bases britanniques des Bahamas. À terre, les équipes de recherches passaient au crible des centaines de milles des côtes de la Floride.

Les recherches s'étendirent même jusqu'au Golfe du Mexique en dépit du fait que les avions disparus s'étaient envolés vers l'est, au-dessus de l'Atlantique. Des centaines de volontaires couvrirent environ un quart de million de milles carrés, se livrant ainsi à une des plus grandes opérations de ce genre ; mais absolument rien ne fut découvert qui aurait pu résoudre ce mystère frustrant.

Finalement les autorités durent admettre : « Nous ne pouvions même pas émettre une hypothèse sérieuse sur ce qui s'était passé. »

Encore aujourd'hui le sort de ces avions disparus demeure aussi incompréhensible et étrange qu'il l'était en 1945 alors que 27 aviateurs s'envolèrent au-dessus de l'Atlantique pour ne plus jamais donner signe de vie.

La pilule est amère aussi pour les hommes qui s'engloutissent dans l'océan avec leurs navires.

Malgré les appareils modernes de navigation, le nombre de naufrages augmente non seulement dans les deux endroits que nous avons mentionnés, mais partout dans le monde.

Malgré les communications radiophoniques, des vaisseaux disparaissent encore en haute mer aussi mystérieusement que l'équipage de la Marie Céleste, le vaisseau fantôme qui fut retrouvé dans la Méditerranée en 1872, toutes voiles au vent et complètement désert.

En 1967, 337 bateaux représentant 832 803 tonnes de la marine marchande mondiale sombrèrent, entrèrent en collision, s'enflammèrent, échouèrent ou se perdirent d'une façon quelconque. Ces chiffres qui nous proviennent des registres de navigation de la compagnie Lloyd's de Londres sont les pires jamais compilés en temps de paix.

Quinze de ces navires s'évanouirent tout simplement. Il ne s'agit pas seulement de petits navires comme le chalutier de l'Allemagne de l'Ouest, le Johannes Kruff de 650 tonnes, qui, aux dernières nouvelles, pêchait dans l'Atlantique-Nord, près du Groënland, mais aussi de gros cargos comme le Santa Fe du Chili, qui tirait 8 338 tonnes et naviguait le long des côtes du Pacifique avec un chargement de minerai de fer.

Le mystère est profond en ce qui concerne le Santa Fe mais l'on croit qu'il fit naufrage à cause du mauvais temps. Plus de 1 300 bateaux ont péri au cours du siècle actuel. Parmi les pires tragédies mentionnons celle du Waratah, paquebot de 10 000 tonnes qui disparut au large de l'Afrique du Sud en 1909 avec 400 passagers et membres d'équipage à bord. On ne le revit jamais.

Les spécialistes en navigation affirment qu'il est difficile d'établir ce qui cause l'augmentation de ces désastres, mais près de la moitié sont imputables à des récifs, des bancs de sable ou des épaves submergées.

Ils sont d'avis que ces statistiques démontrent que certains pays, incluant ceux qui déploient des couleurs de commodité, devraient améliorer leurs normes d'entretien, d'entraînement et de navigation.

Les nations qui ont les plus grandes flottes, comme le Japon, l'Angleterre et les Etats-Unis, ont une basse fréquence de pertes. Des pays qui ont une flotte beaucoup plus petite, par exemple le Liban, Honk Kong, Panama, la Grèce, l'Italie, le Libéria et le Brésil, sont ceux qui furent le plus affectés l'an dernier.

Un expert britannique disait : « Si nos standards sont parmi les meilleurs, il est clair que les autres viennent en deuxième ou troisième rang.

« De façon générale on peut dire que deux éléments sont impliqués : le personnel, c'est-à-dire les maîtres d'équipage et les officiers, et l'équipement.

« Il est fort probable que l'équipement n'est pas toujours conforme aux normes. Mais dans ce cas, le personnel connaît ces déficiences et devrait agir en conséquence.

« En principe il n'y a jamais d'excuse pour qu'un navire échoue s'il a du pouvoir et peut se déplacer lui-même.

« La navigation est essentiellement une question de constante vigilance, comme la démocratie. C'est une ligne de conduite difficile à suivre mais il faut toujours exercer une extrême prudence. »

La Inter Governmental Maritime Consultative Organization (IMCO) examine présentement tous les aspects de l'équipement, de l'entraînement, de l'équipage et de la surveillance afin de combattre la montée alarmante des pertes maritimes, matérielles et humaines.

Néanmoins, il semblerait que l'homme ne peut rien faire pour empêcher les étranges disparitions dans les eaux porte-malheur au large des côtes de l'Atlantique où tant de bateaux et d'équipages ont disparu.

3. LES MYSTÈRES DE LA MER DANS LE MONDE ENTIER

par Ivan T. Sanderson

Ivan T. Sanderson mourut le 20 février 1973. Il fut un pionnier dans le domaine de la recherche sur les phénomènes inexplicables, ainsi qu'un explorateur et un écrivain dans une variété de sujets concrets et actuels. Son père fonda la première réserve forestière au Kenya, Afrique de l'Est. Ivan Sanderson passa une grande partie de sa vie à voyager dans les régions exotiques du globe, attrapant souvent des animaux pour les jardins zoologiques et des spécimens pour différents organismes tels que le *Chicago Natural History Museum*. Il fut également très actif à la radio et à la télévision où il anima des entrevues et des émissions de table ronde. Pendant une certaine période, il fut propriétaire d'un zoo d'été près de la route dans le New Jersey, ainsi que d'une ménagerie ambulante qu'il exibait durant les mois d'hiver. Il fonda la *Society for the Investigation of the Unexplained* en 1965. Parmi ses oeuvres, mentionnons *The Continents We Live On, Uninvited Visitors*, et *Invisible Residents*.

La compagnie Lloyd's de Londres tient compte de la navigation mondiale depuis l'avènement officiel de l'assurance commerciale il y a quelques centaines d'années. Aujourd'hui, l'assurance maritime est universelle. Les pertes de vaisseaux sont analysées et classifiées de six façons : 1) naufrages, engloutissements, ou éclatements causés par la mer elle-même ; 2) incendies ; 3) collisions ; 4) écrasements sur des récifs, sur la côte ou sur des obstacles submergés ; 5) disparitions ; et, 6) autres causes. Disparition signifie manque à l'appel sans laisser de traces (épaves, cadavres, etc.) et sans transmission de signaux de détresse.

Depuis le début de janvier 1961 jusqu'à la fin de 1970, Lloyd's enregistra 2 766 pertes maritimes : 1 136 par écrasements ; 771 par naufrages ; et 70 par disparitions. La plus importante disparition fut celle du Milton Iatridis, 10 000 tonnes, parti de la Nouvelle-Orléans avec une cargaison d'huile végétale et de soude caustique, en destination de Cape Town, Afrique du Sud. Ensuite vient le Ithaca Island, 7 426 tonnes, parti de Norfolk, Virginie, avec un chargement de grain pour se diriger vers Manchester, Angleterre. Ils disparurent tous deux quelque part près des Bermudes. Consultez une carte pour voir si cela ne vous dit pas quelque chose. Le terme « Triangle des Bermudes » vous est-il familier ? Non ! Alors vous devriez savoir que cette région de l'Atlantique est bien connue par les navires et les avions qui y disparaissent dans des circonstances très mystérieuses.

Des vaisseaux coulent et disparaissent en mer depuis des temps immémoriaux. Ces incidents étaient pris pour acquis jusqu'à la découverte des moyens de communication radiophonique entre le bâtiment et la terre ferme. Il devient dès lors évident que l'une de ces catégories, les « disparitions », avait un caractère assez particulier. Ensuite vinrent les avions. Bien qu'ils soient de moindres dimensions, les avions communiquent plus facilement avec leurs bases, de même que de l'un à l'autre, ou avec des bateaux ou des sous-marins quand il s'agit de manoeuvres militaires. Qui plus est, les avions sont plus faciles à suivre à l'oeil nu ou par radar, et par radio lorsqu'ils dépassent l'horizon. Par conséquent, quand ils se mirent à disparaître eux aussi, la situation devint encore plus inquiétante.

Même si un avion est hors d'atteinte par radar ou par radio, son plan de vol est bien conçu et enregistré, à moins que ce soit un appareil privé ; s'il se désintègre dans les airs à cause de conditions atmosphériques, ou tombe et s'écrase, brûle ou entre en collision, il ne manque jamais de laisser des traces sur la mer ou la terre, même si ce n'est qu'une tache d'huile. Pourtant, dès que les vols transocéaniques devinrent des faits routiniers, pendant et après la deuxième Grande Guerre, les avions commencèrent à disparaître également, même s'ils n'avaient pas perdu contact, alors qu'auparavant l'on ne pouvait que dire que l'on était sans nouvelle. La guerre c'est la guerre, et nul n'avait le temps de faire enquête. Après la guerre, les choses prirent une toute autre tournure à la suite de l'incident suivant :

Le 5 décembre 1945, cinq avions torpilleurs TBM Avenger s'envolèrent de la base aéronavale de Fort Lauderdale, en Floride, pour une mission d'entraînement. Ils devaient couvrir 160 milles vers l'est au-dessus de l'Atlantique, ensuite franchir 40 milles vers le nord, et rentrer au bercail. Ils décollèrent à 14h. et transmirent leur premier message à 15h.35 indiquant que tout ne se passait pas tel que prévu. Ils n'avaient aucune idée de leur position et ne savaient même pas dans quelle direction se trouvait l'ouest. « Nous ne sommes pas sûrs de notre position. Nous sommes probablement à 362 km au nord-est de la base . . . il semble que nous soyons . . . » Ce fut la fin des cinq TBM. Nul ne les entendit ni les revit jamais. En quelques minutes, un gros hydravion Martin Mariner était déjà parti à leur recherche. Un quart d'heure plus tard, lui aussi s'était évanoui. Les recherches qui s'ensuivirent furent probablement les plus intensives de l'histoire et s'étendirent sur des milliers de milles carrés. On ne retrouva jamais de traces des cinq avions torpilleurs ni du Martin Mariner.

Consultez la carte encore une fois et vous vous rendrez compte que cet incident reçut une fausse appellation. A la suite de longues recherches, j'en suis venu à la conclusion que ce fut un erreur de sémantique : le premier journaliste qui rapporta l'événement précisa correctement que le parcours du vol était triangulaire. Ce ne fut que plus tard que d'autres s'aperçurent que le sommet du triangle se trouvait en ligne avec les Bermudes. Puis, en 1964, l'extraordinaire reporter Vincent Gaddis intitula son ouvrage « Le Triangle des Bermudes », et pour une de ces raisons que l'on peut difficilement expliquer, l'expression « sonnait bien » et fut acceptée par la population. Le nom prête à confusion mais il coiffe une histoire. Et quelle histoire !

Vincent Gaddis poursuivit son reportage et mena les premières recherches. Grâce à lui, je me lançai dans le feu de l'action. Cette même année, 1966, notre groupe fonda la **Society for the Investigation of the Unexplained**. Quant vint le moment d'établir notre programme de recherches et de développement, le Triangle se trouva quatrième sur notre liste, à l'unanimité. Ce phénomène nous semblait d'emblée ésotérique, à l'époque, si on le compare à ce qu'il est devenu aujourd'hui, seulement quelques années plus tard.

Il était alors simplement intitulé « Le Triangle des Bermudes » et venait en quatrième position après : 1) « L'Abominable homme des neiges, » une autre abomination sémantique qui signifiait « être humain encore insaisissable, non identifié, ultraprimitif ou hominidé » ; 2) « Les monstres de la mer et des eaux fraîches », animaux énormes et insaisissables et non identifiés qui vivaient dans les lacs, quelques rivières et dans les océans ; et, 3) OVNI, Objets Volants

Non Identifiés, aériens ou aquatiques, à l'opposé des phénomènes atmosphériques non identifiés. Il est intéressant de souligner qu'en cinquième position se trouvait le passage instantané des solides à travers d'autres solides, et en sixième, le voyage des solides dans le temps. La signification de ce qui pourrait sembler des coïncidences deviendra évidente plus tard.

En rassemblant tout ce que nous avions sur le Triangle des Bermudes nous avons eu des surprises auxquelles nous ne nous attendions pas. Notre vieil ami Vincent Gaddis qui est maintenant l'un de nos membres, nous dévoila la première lorsqu'il nous incita à approfondir la fameuse « Mer du Diable » dans l'ouest du Pacifique, entre le Japon et les Iles Bonin, dont nous avons déjà signalé la présence dans un article précédent.

Cette région était connue depuis des siècles par les japonais qui, Dieu merci, ne l'avaient jamais appelée un « triangle ». Un nombre incalculable de vaisseaux disparurent à cet endroit, et lorsque des avions militaires américains et japonais en déterminèrent la superficie durant la deuxième Grande Guerre, ils découvrirent qu'il était de forme ovale, incliné à un angle d'environ 25 degrés du sud-ouest au nord-est. De plus, à la même époque, les dossiers que nous possédions sur les disparitions dans le Triangle des Bermudes semblaient vouloir indiquer une conformation semblable, sinon identique, dont les dimensions étaient à peu près les mêmes et inclinée de la même façon.

Ma formation de base est de nature strictement géographique, ce qui me pousse toujours à m'emparer d'un atlas ou d'un globe terrestre dès que s'amorce un projet de recherches, peu importe l'endroit ou la grandeur de l'emplacement concerné. En vérité, cette habitude devait nous engager sur le long sentier qui nous mena vers les découvertes que je veux maintenant vous décrire.

D'abord je fus frappé de voir que ces deux régions qui, selon nous, sont plutôt des losanges, croisent la même latitude. Leurs « centres » que nous ne pouvions décrire que de façon arbitraire, sont tous deux à 36 degrés Nord. C'est alors que l'une de ces coïncidences qui ne semblent plus l'être, se produisit. Deux sous-marins, dont l'un était français et l'autre israélien, disparurent dans la Méditerranée, et quatre petits navires s'évanouirent tout simplement alors qu'il faisait un temps idéal, entre la côte du Portugal, le Maroc, et l'île de Madère.

Notre Société de recherches et d'investigations fut immédiatement aux prises avec une avalanche de coupures de presse et de lettres de nos membres d'ici et d'outre-mer, ainsi que de gens que nous ne connaissions pas, dans une demi-douzaine de langages. Ils nous demandaient : « Croyez-vous que la Méditerranée Occidentale est le centre d'un autre de vos 'losanges' ? » Je regardai la mappe-monde une autre fois et je convoquai une réunion de tous les membres que je pus rejoindre et qui avaient des connaissances en géodésie. Ils vinrent de toutes les parties du pays. Mais ce fut un ingénieur, Alfred D. Bielek, qui nous apporta la première suggestion concrète.

Notre rencontre débuta par la projection d'une carte du monde, et Bielek souligna que cette nouvelle région gisait également au travers de la 36e parallèle de latitude Nord et, selon les rapports que nous possédions sur cette nouvelle région et les données historiques de nos dossiers, nous nous sommes vus en face d'un losange de même dimension qui penchait du sud-ouest vers le nord-est et dont le centre était situé près des frontières du Maroc et de l'Algérie sur la rive sud de la Mer Méditerranée.

Le lendemain, le courrier nous apporta une autre « pure coïncidence ». C'était la lettre d'une femme que nous ne connaissions pas et qui, de toute évidence, ne savait rien de nos travaux. De plus, elle semblait n'avoir jamais entendu parler du Triangle des Bermudes. Elle était rongée d'inquiétude depuis plusieurs années au sujet de quelque chose qui avait attiré son attention durant la deuxième Grande Guerre alors qu'elle était au service de l'Intelligence américaine dans un pays qui est aujourd'hui le Pakistan. Elle nous disait que de gros avions volaient entre ce qui était alors les Indes et la Russie pour apporter de l'aide militaire fournie par les Alliés, en passant par l'Iran. Quelques-uns de ces avions transportaient des lingots d'or, et au grand désespoir des Alliés, bon nombre d'entre eux disparurent au-dessus de l'Afghanistan. Cette femme était troublée par le fait qu'à deux reprises au moins, l'or avait été retrouvé par des aborigènes des montagnes, mais que jamais l'on ne retrouva des débris d'avions !

Une fois de plus nous avons consulté nos globes terrestres et nos règles à calculer. Pourquoi ? Parce que nous venions de prendre connaissance d'une quatrième zone de « disparitions » et, circonstance bizarre, sur terre cette fois. De plus, une autre constatation nous vint à l'esprit : en mesurant les distances depuis le losange de la Méditerranée Occidentale jusqu'à l'Afghanistan et ensuite la Mer Bonin, les intervalles étaient exactement de 72 degrés. De plus la distance entre la Méditerranée Occidentale jusqu'au Triangle des Bermudes était également de 72 degrés.

Ceci représentait exactement un cinquième de cerlce, ou un cinquième de 360 degrés. Nous avions donc quatre losanges sur une ligne entre l'Atlantique de l'Ouest et le Pacifique de l'Ouest. Y en avait-il un cinquième ? Alors, où se trouvait-il ? Selon nos calculs il devait être au nord-est des Iles Hawaï dans le Pacifique Nord.

Je n'oublierai jamais la période de silence qui s'ensuivit. Nous étions cinq à avoir des connaissances et un entraînement scientifique ou technologique très poussés ou sommaires alors que les quatre autres oeuvraient dans le milieu de la presse ; nous restions tous assis regardant avec stupéfaction le géographe Bielek ! Ce fut un ingénieur en électromagnétisme qui rompit le charme. « Voici, 'dit-il', la nature est rarement exacte, mais elle est toujours précise quand il s'agit de science physique. Que savez-vous des incidents qui auraient pu se produire dans le nord-est du Pacifique ? » Notre libraire et secrétaire exécutif, Marion Fawcett, qui était une sorte d'ordinateur humain, admit sur-le-champ que nous n'avions aucun renseignement à ce sujet. Loin de nous alors la pensée de ce qui allait arriver plus tard.

Pendant que tout cela se produisait, quelque chose me chatouillait le cerveau. Au cours des mois où nous accumulions les données sur les Bermudes et la Mer Bonin, je travaillais en silence sur un petit projet personnel. L'Hémisphère du Sud.

Par correspondence, et à la suite de beaucoup de recherches, j'ai découvert qu'il y avait là aussi trois régions très inquiétantes de « disparitions » : 1) au large de la côte sud-est de l'Argentine ; 2) au large de la côte sud-est de l'Afrique du Sud ; et, 3) au large de la côte sud-est de l'Australie, plus précisément la Mer de Tasmanie. Encore une fois je consultai les globes terrestres et les retournai afin que le Pôle Sud soit au sommet. Je traçai alors légèrement les contours de ces trois régions ou losanges, et demandai aux mathématiciens de se mettre à l'oeuvre. Qu'ont-ils trouvé ? Deux de ces régions étaient exactement à 72 degrés de distance et toutes deux étaient situées à 36 degrés de latitude sud, alors que la troisième se trouvait à 144 degrés de l'une ou l'autre de chaque côté (144 équivaut à deux fois 72). Où situer les deux qui manquaient ? L'une à l'est dans l'Océan Indien ; l'autre au beau milieu de cette immense région océanique dans le sud du Pacifique.

Sur ce, notre rencontre prit fin. C'est alors qu'une autre « coïncidence »,, ou donnez-lui le nom que vous voudrez, tomba sur mon pupitre ; encore une fois elle m'arriva totalement à l'improviste de quelqu'un dont nous n'avions jamais entendu parler. Elle venait d'une jeune dame du Sud-Ouest qui nous raconta que ses deux frères dont l'un était dans la marine et l'autre dans les forces de l'air, lui avaient raconté des histoires qu'eux-mêmes avaient entendues en cours de service. Vu la nature de leurs histoires, elle leur avait montré un article que j'avais écrit au sujet des « abominables tourbillons ». Ils affirmèrent immédiatement qu'il y avait deux autres « tourbillons », dont l'un dans le Pacifique-Nord et l'autre dans le Pacifique-Sud !

Ceci était déjà assez étonnant mais, avant un mois, un de mes vieux amis qui ne savait rien de tout cela et qui avait consacré sa vie à l'histoire de l'exploration, plus précisément l'histoire des baleiniers et des chasseurs de phoques, m'écrivit une longue lettre au sujet de Kerguelen et autres îles isolées dans l'Océan Indien sub-antarctique. Il faisait allusion à une zone meurtrière située à l'ouest dans la partie vide au large de la côte sud-ouest de l'Australie. Quelques calculs additionnels démontrèrent que cette zone se trouvait à 36 degrés Sud et 72 degrés Est du losange de l'Afrique du Sud, et à l'ouest de celui qui se trouve dans la Mer de Tasmanie.

Les « coïncidences » devenaient trop nombreuses. Particulièrement pour les mathématiciens, les géographes, les géodésistes, et les ingénieurs en électro-magnétisme. Ces derniers convoquèrent une autre réunion spéciale.

Cependant, un géophysicien avait tenté une petite expérience. Nos globes terrestres étaient des sphères métalliques vides à l'intérieur et il demanda la permission de les transpercer à l'aide de brochettes à chacun des cinq points de l'Hémisphère du Nord vers le centre de la terre afin de voir où elles ressortiraient dans l'Hémisphère du Sud. Toutes émergèrent à 36 degrés de latitude Sud, mais à 23,5 degrés des cinq losanges du sud ! Il avait cru que les cinq paires seraient exactement à l'opposé l'une de l'autre, formant ainsi des dipolaires de nature électromagnétique. Cet écart de 23,5 degrés le plongea dans le désarroi complet ainsi que ses techniciens. Quelqu'un lui fit remarquer que 23,5 degrés représente l'angle de l'axe terrestre autour du soleil. Etait-ce là l'explication ?

Entre-temps, nous avions consulté tous les experts que nous connaissions dans l'espoir de faire la corrélation entre ces dix régions que nous appelions maintenant « anomalies », et tous les autres genres d'anomalies, comme la gravité, le magnétisme, une forte concentration minéralogique, l'activité sismologique, et le reste ; mais il n'y avait aucun rapport, sauf un.

Nous avions fait la découverte étonnante que tous les « losanges » sur l'eau, tous sauf celui au-dessus de l'Afghanistan et l'autre en partie au-dessus de l'Afrique du Nord, coïncidaient exactement avec les grands tourbillons océaniques qui se produisent là où les courants froids rencontrent les courants chauds et provoquent des tourniquets aquatiques géants. Plus tard, des météorologistes soulignèrent qu'il existe aussi des régions où de hautes pressions sont presque toujours en permanence. Qu'est-ce que cela pouvait bien signifier ?

Les hommes de science n'avaient rien à offrir, mais ils sortirent de leur discrétion professionnelle comme jamais je ne l'avais vu auparavant. Le docteur John Carstiou, physicien qui se spécialise dans la gravité et qui fut le premier à exprimer à l'aide de formules mathématiques l'existence théorique et fort probable d'une seconde force de gravitation, nous fit une suggestion concrète. Il affirma qu'une telle force, quoique considérée faible, se manifesterait probablement sous la forme de tourbillons disposés selon un plan géométrique régulier sur la surface d'une masse solide individuelle telle que la Terre. De plus, considérant que de tels tourbillons tournent dans le sens des aiguilles d'une horloge dans l'Hémisphère du Nord et à l'inverse dans l'Hémisphère du Sud, nous avions toutes les raisons de croire que les autres forces, comme par exemple cette soi-disant deuxième gravité, feraient de même.

Puisque nous étions plus ou moins forcés d'accepter le fait qu'il semblait y avoir dix régions à distances égales sur la surface de la Terre où il se produisait « d'étranges choses », comme par exemple la disparition d'avions et de bateaux, ou l'arrivée prématurée d'avions qui ne pouvaient voyager aussi rapidement sans l'assistance d'un vent de 500 milles à l'heure, sachant fort bien que de tels vents n'existent pas, l'auteur publia ce que la Société avait appris. C'est alors qu'il arriva un autre fait singulier.

Dick Cavett, un ami qui animait une émission de télévision, m'invita à débattre publiquement toute cette affaire avec un autre ami de longue date, Arthur Godfrey. Nous nous connaissions, Arthur et moi, depuis les premiers jours de la télévision, après la deuxième guerre. Il avait été pilote durant la majeure partie de sa vie, et au cours de deux présences précédentes à l'émission de Dick, il avait été question du Triangle des Bermudes. Arthur avait tourné ces phénomènes en ridicule. Par conséquent, Dick eut assez de courtoisie pour me demander au préalable si j'étais prêt à être mis en boite. Je l'assurai de ne pas s'en faire car le jeu en valait la chandelle. De plus, je me sentais assez compétent pour défendre mon point de vue.

Voilà que nous sommes en ondes. Arthur nous éreinta tous les deux, de même que l'audience et l'équipe technique, en s'emparant du globe sur lequel j'avais inscrit tous les « losanges » et en racontant ses expériences personnelles les plus farfelues sur le sujet. Arthur Godfrey n'est pas un homme à prendre à la légère, et son intégrité est sans reproche. Mais il était assis là, cet homme qui avait déjà exprimé ses opinions publiquement et qui considérait toute cette controverse au sujet des losanges et du triangle comme de la bouillie pour les chats, mon globe dans les mains, racontant ses expériences à plusieurs millions de spectateurs. Il avança trois énoncés de taille.

D'abord, il raconta son voyage autour du monde dans un bi-moteur à propulsion, voyage qui fit les manchettes de tous les organes d'information. Pendant qu'il volait au-dessus de la « Mer du Diable » ses compas, ses autres instruments de même que la radio

s'arrêtèrent de fonctionner pendant près d'une heure. Il ajouta :
« Quand il ne vous reste plus de carburant que pour quatre heures,
c'est loin d'être un pique-nique. »

Ensuite, il retourna le globe afin que la caméra puisse saisir un
gros plan de la région entre Hawaï et la côte nord-ouest de notre
pays. Il raconta qu'il devait effectuer le vol de retour vers le continent sur le gros appareil expérimental qui s'appelait le Mars, mais
qu'il arriva en retard et manqua le « bateau » ; alors, le Mars décolla
sans lui. Cependant il le suivit sur l'écran de radar, quand . . .
soudain, « Phooph ! » . . . et Arthur fit claquer ses doigts vers la
caméra, « il n'y avait plus rien du tout ! »

J'étais saisi à tel point que j'en étais muet, mais Dick posa une
question. Pour toute réponse, Arthur répéta très simplement que ce
magnifique avion était bel et bien là et disparut dans l'espace d'une
seconde. De plus il ajouta, « . . . rien ne fut retrouvé ; pas même une
tache d'huile. » L'auditoire en retenait son souffle. Mais ce n'était
pas tout.

La station de télévision s'identifia, il y eut une réclame commerciale, et encore une fois Arthur s'empara de mon globe. Après
l'avoir tourné directement vers la caméra, il indiqua le losange des
Bermudes. Le tournant de sorte que le nord soit directement vers le
haut, il démontra que ce que nous appelons la « côte », va en réalité
du sud-ouest vers le nord-est. Il dit alors que les aviateurs d'avions
privés volent sans cesse entre New York et la Floride. S'ils volent en
ligne droite, ajouta-t-il, ils s'évitent environ 100 milles de trajet,
mais au contraire ils ne le font pas et se maintiennent plutôt un peu
vers l'ouest ! Et tout ceci était dit par nul autre qu'Arthur Godfrey,
en ondes, durant l'une des plus importantes émissions de télévision
nationale ! Si je n'avais pas entendu un enregistrement de la bande
sonore, j'aurais tout simplement refusé d'y croire. Mais deux autres
faits sont à ajouter.

Nous avons reçu une lettre d'une femme qui voyage régulièrement dans les Antilles et se dit elle-même membre du « *Jet Set* ».
Elle voulait savoir s'il était prudent de s'envoler vers les Antilles,
ajoutant que des amis avaient été récemment très bouleversés quand
ils furent informés que leur vol de Porto Rico vers la Floride durerait
deux heures et demie car, selon elle, les autorités de la ligne aérienne
se voyaient dans l'obligation de contourner le Triangle des Bermudes.

On a souvent dit et écrit faussement que les lignes aériennes
militaires et commerciales ont reçu des directives de ne pas survoler
cette région. Nous avons approfondi le sujet et je puis affirmer que
nous n'avons jamais découvert la moindre parcelle de preuve que de
telles instructions aient été données à qui que ce soit. Un membre de

notre Société qui est aussi pilote de ligne dit que la version de cette femme est entièrement fictive ; en vérité, il emploie cette route régulièrement lui-même. Il se peut qu'un vol ait été détourné afin d'éviter une tempête et qu'un pince-sans-rire eut mentionné le Triangle des Bermudes. Par contre, il admet qu'il est doublement prudent et qu'il ne quitte pas ses instruments des yeux quand il traverse cette région !

Des millions de personnes naviguent et volent dans cette zone chaque année sans avoir de problèmes . . . sauf pour quelques rapports extrêmement idiots et inquiétants émis par des individus qui devraient connaître ce dont ils parlent. C'est ce qui nous incita à faire enquête au sujet de cette lettre, et nous avons pu constater que la vérité était toute autre. Au cours de cette enquête nous avons de plus pris connaissance d'un rapport rédigé par des aviateurs professionnels qui surent mettre en lumière des preuves absoluments concrètes, supportées par des copies des registres officiels, qu'il existe des anomalies de temps dont un très haut pourcentage semble se situer au-dessus de nos dix « losanges ». Ensuite, nous fîmes la découverte d'un autre fait qui nous avait tous échappé : ces régions sont au nombre de douze et non pas de dix comme nous l'avions d'abord cru ; les deux autres sont les Pôles Nord et Sud ! Il est bien évident qu'il n'y eut là aucune disparition de bateaux ni de sous-marins ; surtout dans le cas de l'Antarctique puisqu'il s'agit d'un continent. Très peu d'avions se sont perdus au-dessus du Pôle Nord, et ces incidents semblaient avoir des explications normales. Il existe quand même au Pôle Nord un phénomène étrange qui a trait à plusieurs anomalies espace-temps rapportées par des aviateurs, ou par ceux qui y sont passés en traineaux ou à pied.

Si nous acceptons les Pôles comme la sixième paire d'endroits singuliers de notre globe, nous avons alors une complète équitriangulation de la surface de la terre. Nous ne savons presque rien au sujet du Pôle Sud, mais nous possédons de très bonnes connaissances sur le Pôle Nord. Les pilotes eux-mêmes nous ont suggéré d'essayer de faire la corrélation entre les régions polaires et ce qui concerne la gravité, le magnétisme, et les autres particularités. Encore une fois, ils nous fut impossible d'établir un rapprochement entre ces anomalies, ou toute autre particularité de l'Océan du Pôle Nord et de sa mer de glace, ou de la calotte du Pôle Sud, et les mystères qui nous concernent, sauf que « quelque chose » s'amuse avec le « temps » dans ces régions. Quelques aviateurs et voyageurs qui ont traversé les glaces polaires en ont fait la remarque ; mais il faut tenir compte aussi que les compas ne fonctionnent pas normalement dans cette partie du monde. Il arrive souvent que pendant des semaines l'on ne puisse se guider par les étoiles, et la glace polaire elle-même tourne en rond dans son ensemble et réciproquement quand s'entremêlent les banquises et les glaçons. Même au moyen des instruments les plus modernes et les plus sophistiqués, il est souvent presque impossible de trouver une position exacte, une direction et jusqu'où se rendre. Il ne faut donc pas se surprendre si quelques explorateurs et autres voyageurs ont cru qu'ils s'étaient rendus trop loin et trop vite, ou vice-versa.

Par conséquent nous avons aujourd'hui la preuve indéniable qu'il y a des « anomalies de temps », comme l'arrivée prématurée des avions par exemple ; que ces anomalies qui ont été dûment enregistrées se produisent très fréquemment dans quelques-uns des douze losanges ; et que des rumeurs, des commentaires et des comptes rendus veulent que ces anomalies existent à l'intérieur de tous les losanges. Si ces zones sont situées là où elles devraient être, elles forment une grille trigonométrique très précise qui couvre notre planète comme un immense filet de triangles équilatéraux qui doit être, ou devrait être, logiquement explicable. Puisque nous ne connaissons pas d'autres causes physiques qui pourraient résoudre le problème, nous ne pouvons que nous en remettre à ce que nous avons constaté jusqu'ici. Autrement dit, le « temps » est faussé dans ces régions.

Si la compagnie Lloyd's de Londres admet une différence entre les « disparitions » et toutes les autres disparitions connues, prouvées et expliquées, je suis d'avis qu'il nous faut, nous aussi, examiner le sujet très sérieusement. Si les registres de nos vols commerciaux et militaires démontrent la possibilité de « rentrer et sortir » de notre univers, je suis encore plus convaincu que nous ne devons pas traiter ces phénomènes à la légère. Mon plus grand désir serait de pouvoir compiler une liste détaillée et universelle de tous les avions « disparus ». Mais cela aussi fait partie de nos projets.

4. POUR VENGER LES « AVENGERS »

par Edward I. Costain

On a essayé d'expliquer les phénomènes du Triangle des Bermudes au moyen d'une grande variété d'interprétations matérielles et théoriques. Edward I. Costain donne une nouvelle dimension à ce débat animé. Monsieur Costain qui mérita son B.A. à l'Université Fordham et son M.A. à l'Université de New York, fut à l'emploi de l'*Office of Naval Infor-*

mation de 1943 à 1946, et devint plus tard journaliste indépendant. Durant la guerre de Corée il réintégra les services du gouvernement. Aujourd'hui, il est écrivain et conférencier.

Le samedi, aux heures tardives de l'hiver, quand les mordus de l'occulte se rassemblent autour de tables collantes de bière, soyez assuré que quelqu'un abordera l'histoire troublante des cinq avions de la marine qui disparurent dans l'air d'une façon étrange et très mystérieuse. Vous entendrez alors des murmures sombres au sujet de trous dans le ciel, de distorsions espace-temps et de déplacements temporels ou physiques dans un autre siècle ou vers d'autres cosmos. Les spéculations avant-gardistes de physicistes tels que Max Planck et Werner Heisenberg reçoivent alors plus de publicité gratuite qu'ils auraient espéré en recevoir au cours de toute leur vie. Et l'on fait grand état d'une affirmation d'un porte-parole de la marine que les avions disparurent aussi complètement que s'ils s'étaient envolés vers la planète Mars.

Les cinq avions dont il s'agit sont des torpilleurs qui s'envolèrent de la base aéronavale de Fort Lauderdale, Floride, l'après-midi du 5 décembre 1945. Ils restèrent en contact avec la tour de contrôle jusqu'au moment de leur disparition. Une commission d'enquête de la marine a dit ceci : « Nous ne pouvons même pas émettre une hypothèse sérieuse sur ce qui s'est passé. » Pour couronner notre célèbre histoire intrigante, l'immense hydravion Martin qui partit à la recherche des torpilleurs disparut lui aussi.

Cette histoire est tellement classique que je me sens à la gêne de la ressusciter. Mais voilà justement ce que j'entends faire et voici pourquoi.

Nous vivons dans un monde rempli de plus d'événements étranges, de réactions aberrantes et de phénomènes paranormaux que notre science retardataire n'en peut absorber. En étudiant les événements qui sont vraiment étranges, nous élargissons nos connaissances du cosmos dans lequel nous vivons. Mais il arrive fréquemment que nos progrès piétinent à cause de faits qui ne sont étranges qu'en apparence et trompeusement paranormaux. De tels événements ainsi que les hypothèses ridicules qu'ils entraînent ne sont que des pierres d'achoppement dans le travail du chercheur sérieux.

Nous avons été récemment inondés par un déluge de bouquins remplis de faits inexplicables dont on se sert maintenant pour nous prouver la venue de visiteurs préhistoriques qui nous arrivaient comme des dieux sur des chariots extra-terrestres. Donneley se servit de cette même masse de preuves pour supporter sa théorie de l'Atlantide, il y a cent ans. Churchward fit de même il y a un demi-siècle au sujet de Mu.

Au moyen de régressions intellectuelles bizarres jusqu'aux temps anciens, nous nous rendons compte que des exemples classiques de dédoublement de personnalité ont été remaniés dans une tentative de prouver les possessions démoniaques.

Ces hypothèses sont généralement construites sans trop de souci pour établir si les faits sur lesquels ils reposent sont vraiment paranormaux. Très souvent ces faits sont présentés de façon à ce qu'ils semblent paranormaux en limitant les possibilités de ce qui aurait pu se produire en vérité. Quand une série de circonstances est entourée de restrictions gratuites, il est toujours possible de lui donner une allure paranormale. Ces restrictions proviennent pour la plupart d'un manque de connaissances d'expérience, ou d'intuition de la part du chercheur. Ce qui suit vous donnera peut-être une idée de ce que je veux dire.

Dans un petit jeu de salon fort populaire, on vous demande de tracer quatre lignes droites en traversant neuf points disposés symétriquement et ne touchant chacun des neufs points une fois seulement sans lever votre crayon du papier. Voici le dessin.

● ● ●

● ● ●

● ● ●

Et voici comment cela se fait.

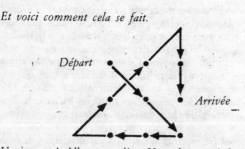

Un instant ! Allez-vous dire. Vous êtes sorti du carré !

Quel carré ? Il ne s'agit pas ici d'un carré, mais de neuf points. C'est vous-même qui avez imaginé cette restriction et par le fait même apporté un nouvel élément qui rend impossible la solution du problème.

L'enquêteur qui s'acharne à voir des points comme des carrés peut faire un mystère avec à peu près tout ce qu'il veut. Par exemple, le « chercheur de carré » sachant que les OVNI changent de direction à des vitesses qui défient la gravité au point de détruire tous les tissus vivants que nous connaissons, en arrive à la conclusion que ces engins ne peuvent être pilotés que par des êtres surhumains. S'il ne regardait que les points, il se dirait : « Eh bien ! Ils n'ont pas de pilotes et ne sont donc pas plus mystérieux que des sondes inhabitées de l'espace. »

Dans le même ordre d'idée, voyons un peu si nous ne pouvons pas éliminer quelques carrés dans le cas de la disparition des avions torpilleurs.

Récapitulons les faits selon les rapports que nous possédons. N'oublions pas cependant que durant la deuxième grande guerre et la période qui s'ensuivit immédiatement, les dossiers d'accidents n'étaient pas aussi complets qu'ils le sont depuis la fondation en 1953 du **Naval Aviation Safety Center à Norfolk**, Virginie. Un bon nombre de rapports d'accident survenus avant 1946 manquent de précision. Celui dont nous allons parler fait partie de ce groupe :

A la base aéronavale de Fort Lauderdale, au cours de l'après-midi du 5 décembre 1945, le ciel était clair et ensoleillé. Il n'y avait que quelques nuages.

Une formation de cinq avions torpilleurs **Grumman TBM Avenger** se préparait à décoller pour une mission de routine dans le cadre des exercices de défense côtière. Ces avions étaient surnommés « poissons à gros ventres » à cause de leur longue niche à torpilles. L'équipage se composait d'un pilote, un opérateur de radio et un mitrailleur. Ce jour-là, un membre d'équipage était malade et le personnel de la mission n'était que de quatorze hommes.

L'exercice devait les conduire plein est pendant 257 km, puis plein nord pendant 64 km et revenir ensuite à la base. Ils devaient maintenir une vitesse de 215 noeuds. Un noeud est un mille nautique à l'heure. Un mille nautique représente un peu plus de deux mille verges. La patrouille devait rentrer à la base à 15h42

Le premier avion était en vol à 14h02 et le cinquième suivait six minutes plus tard.

A 15h45, alors que la tour de contrôle s'apprêtait à passer les consignes d'atterrissage, elle reçut un message angoissé du commandant de la formation.

— « J'appelle la tour. C'est urgent. J'appelle la tour d'urgence ! »

— « Nous écoutons. »

— « Nous ne voyons plus la terre. Je répète, nous ne voyons plus la terre ! »

— « Quelle est votre position ? »

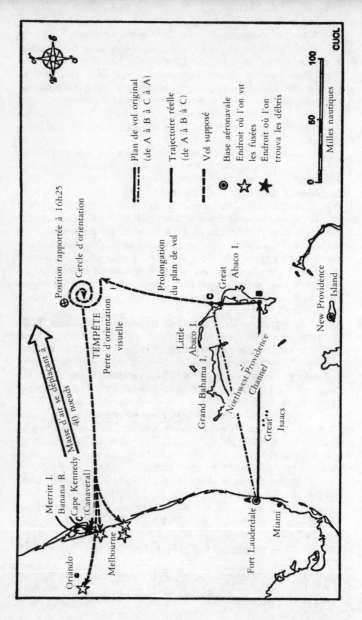

CUCL

Plan de vol original
(de A à B à C à A)

Trajectoire réelle
(de A à B à C)

Vol supposé

Base aéronavale ◉

Endroit où l'on vit les fusées ☆

Endroit où l'on trouva les débris ★

0   50   100
Milles nautiques

Position rapportée à 16h25

Cercle d'orientation

Prolongation du plan de vol

Great Abaco I.

C

New Providence Island

Little Abaco I.

Grand Bahama I.

Northwest Providence Channel

B

TEMPÊTE

Perte d'orientation visuelle

Great Isaacs

Masse d'air se déplaçant à 40 noeuds

Merritt I.
Banana R.
Cape Kennedy (Canaveral)

Orlando

Melbourne

Fort Lauderdale

Miami

40

— « Nous n'en sommes pas certains. Nous ne savons pas exactement où nous sommes. Nous ne savons rien. »

— « Mettez le cap plein ouest. »

— « Nous ne savons pas où est l'ouest. Nous ne connaissons plus nos directions. Tout est anormal . . . bizarre. Même la mer n'est pas comme d'habitude ! »

Parce qu'il était impossible de reconnaître l'ouest et que l'océan semblait différent, on conclut tout de suite que quelque chose de surnaturel se produisait. Quand le ciel était clair, les pilotes n'avaient qu'à regarder le soleil pour savoir où se trouvait l'ouest. Ne pouvaient-ils pas voir le soleil ? Qu'y avait-il de changé dans les reflets de la mer ?

A Fort Lauderdale, la tour de contrôle entendit les aviateurs discuter de leur problème. Tous les témoignages mentionnent la frayeur, l'incrédulité et l'hystérie qui s'emparaient des pilotes. Mais il est un aspect dont on parle très peu, sans doute pour ne pas gâcher une bonne histoire, et avec raison. Le personnel de la tour de contrôle avait la nette impression d'après la teneur et le rythme de la conversation entre les pilotes, que la patrouille était aux prises avec une tempête aveuglante.

A 16 heures, pour des raisons obscures, le commandant de la formation passa soudainement le commandement à un autre pilote, et ce n'est que 25 minutes plus tard que ce dernier appela la tour de contrôle :

— « Il est 16h25. Nous ne sommes pas sûrs de notre position. Je crois que nous sommes perdus. Nous avons encore assez de carburant pour 75 minutes. Nous sommes probablement à 362 km au nord-est de la base. On dirait que nous sommes . . . »

Et ce fut le silence.

Un gros hydravion **Martin PBM Mariner** s'envola de Ford Lauderdale à la recherche des disparus. Le Mariner avait 13 hommes à son bord. Il était muni de tout l'appareillage de sauvetage possible.

Le Mariner transmit quelques rapports de routine et poursuivit sa mission silencieusement. Cependant, à 19h30, il ne répondit pas lorsque la tour de contrôle tenta de communiquer avec lui. On ne le revit jamais.

Inutile d'insister sur l'ampleur des recherches dans les jours qui suivirent. On en parle ailleurs et elles n'ont rien à voir à notre exposé. J'ai constaté que plusieurs auteurs ont tendance à s'attarder démesurément sur ces recherches comme si elles faisaient partie du mystère. Ce n'est pas du tout le cas.

Le véritable mystère, tel que décrit dans une abondance de documentation, se déroule comme suit : Cinq avions, volant dans des conditions idéales sous un ciel clair, se trouvèrent soudainement incapables de voir le soleil ou de trouver leur position au-dessus d'une mer qui n'avait pas son apparence habituelle. Tout contact par radio cessa abruptement, et jamais on ne retrouva leurs traces.

Pour un mystère, c'est un bon mystère ! Il est imprégné de faits prodigieux qui ont eux-mêmes engendré d'autres faits prodigieux. Toutes les hypothèses imaginables ont été émises : trous noirs de l'espace, enlèvement par un immense OVNI, aberrations atmosphériques que nul ne semble désireux de décrire, ou encore une translation possible vers une planète qui ne tourne pas et qui serait plongée dans un crépuscule perpétuel.

Penchez-vous sérieusement sur le mystère et vous vous rendrez compte que la traditon a transformé les points en carrés. En vérité, le récit de ce mystère lui a donné un cachet que les mordus ne veulent absolument pas détruire. Ainsi les enfants préfèrent-ils croire à leurs mensonges plutôt que de gâter une bonne histoire de maison hantée. Les adultes également, parfois.

Malgré tout, allons-y et détruisons quelques-uns de ces carrés.

Parmi les fausses conceptions qui entourent le mystère, il semble que personne ne veut examiner le déroulement du vol. Si vous en dessinez le plan sur une carte hydrographique, vous noterez un fait qui brille par son absence dans les comptes rendus.

La première partie du plan devait conduire la patrouille dans les Bahamas au-dessus du **Nortwest Providence Channel**. Je ne prétends pas connaître ce que faisaient des appareils américains en territoire britannique. En effet, l'Angleterre avait elle-même une base aéronavale sur l'île New Providence. Néanmoins, si le vol s'accomplissait à une altitude de 2 500 pieds, l'angle de l'horizon était de 67 milles. Quelques milles après avoir quitté la base de Fort Lauderdale, les îles Great Isaacs auraient été visibles à l'horizon. Pour connaître la distance de votre horizon, multipliez par 1.3 la racine carrée de la hauteur en pieds de vos yeux au-dessus du niveau de la mer et exprimez le résultat en milles. Ce calcul est assez précis pour les besoins de la cause. Quelques minutes plus tard, les Grandes Bahamas auraient été visibles au nord-est. A partir de là, le reste du vol pouvait s'accomplir visuellement, même à 1 000 pieds d'altitude.

Après avoir accompli un virage à gauche, la patrouille devait atteindre un point situé à l'est des Grandes Bahamas et au-dessous de Little Abaco, à 14h56.

Ensuite, le retour à la base de Fort Lauderdale devait commencer le long de la côte sud des Grandes Bahamas. Pour une raison ou l'autre, cette route ne fut pas suivie.

Nous savons maintenant que cette route ne fut pas suivie car autrement la patrouille n'aurait pas perdu de vue la terre ferme, même à une altitude aussi basse que 2 500 pieds. Alors, pourquoi la dernière partie du plan de vol ne se déroula-t-elle pas tel que prévu ?

Il y a plusieurs raisons fort légitimes. Les pilotes ont peut-être voulu examiner quelque chose avant de rentrer, par exemple. Mais je suis d'avis que les aviateurs décidèrent d'élargir leur mission afin d'accumuler plus d'heures de vol.

A cette époque, les pilotes de la marine devaient voler au moins six heures chaque mois pour être éligibles au boni de vol. Il était en outre préférable d'accumuler ces heures au cours de missions régulières plutôt que de voler dans le seul but de recevoir une meilleure paie. Il arrivait souvent que l'on étire une mission quand il y avait une quantité suffisante de carburant. Ainsi, les pilotes obtenaient les heures obligatoires sans avoir à fournir d'explications. Tout retard douteux était généralement attribué à des sautes d'humeur de la température.

Le temps de la mission fut augmenté pour satisfaire aux exigences salariales, et ceci est à mon avis l'explication la plus logique.

Alors, où se dirigeaient-ils après la deuxième étape ? Je ne crois qu'ils se soient engagés vers la mer, compte tenu de la capacité limitée des réservoirs de l'Avenger : moins de 1 000 milles à 215 noeuds.

Ils auraient décidé de rentrer par le chemin des écoliers, tout simplement. A 5 000 pieds d'altitude, ils pouvaient voir les Grandes Bahamas pendant 95 milles. A cette distance, ils n'avaient qu'à tourner à gauche et suivre un angle de 270 degrés pour apercevoir la Floride avant de perdre les Grandes Bahamas.

Il ne faudrait pas oublier ici que toute la mission s'accomplissait par méthodes visuelles. Elle se déroulait avant l'utilisation généralisée des moyens de navigation plus modernes. Les corps célestes étaient très utiles la nuit, mais le jour, tout ce que l'on pouvait obtenir du soleil était la latitude. Ceci donne plus d'ampleur à l'urgence du message du pilote : « Nous ne voyons plus la terre. Je répète, nous ne pouvons plus voir la terre ! » Il avait de graves problèmes car il avait besoin de voir la terre pour se guider.

La cause de ces problèmes est rarement mentionnée dans les comptes rendus du mystère et, si elle l'est, on ne fait que l'effleurer. Voici les faits.

Tôt, le 5 décembre 1945, une masse imposante de nuages s'élevait du Golfe du Mexique et se dirigeait au-dessus de la Floride le long d'un axe qui partait de Tampa à l'ouest, jusqu'au Cap Canaveral, aujourd'hui Cap Kennedy, à l'est. Les auteurs oublièrent de mentionner que ces nuages mettaient trois heures à franchir la distance de 140 milles au-dessus du sol. Donc, ces nuages faisaient partie d'une masse d'air qui avait une vélocité de 40 noeuds.

Il a été démontré que l'arrière-garde de ces nuages se dispersa sur l'océan à l'est de Canaveral, vers 13 heures. Ceci n'a aucune signification. Peu importe si la queue d'un banc de nuages qui avait déjà passé l'horizon, commençait à se disperser. Ceci n'a rien à voir avec la vélocité de la masse d'air qui nous concerne. En vérité, selon le bureau météorologique de Miami, à 16 heures la région à l'est de Canaveral était aux prises avec des vents capricieux et des bourrasques de 40 noeuds accompagnés d'orages. C'était l'arrière-garde de la masse d'air.

Où se trouvait donc la tête ? Sur la route que devait suivre la patrouille dans la troisième étape de son plan de vol.

Or, la vitesse d'un avion est relative. Sa vitesse de l'air dépend de sa facilité de déplacement au sein de la masse d'air dans laquelle il se trouve. Sa vitesse de surface est sa vitesse réelle au-dessus de la terre qu'il survole. Par conséquent, quand la vitesse de l'air est de 200 noeuds et que vous traversez une masse d'air qui se déplace à 25 noeuds dans l'autre direction, la vitesse de surface n'est donc que de 175 noeuds même si votre indicateur de vitesse indique 200.

Naturellement, si vous ne pouvez voir la terre, il est impossible de savoir quels sont les effets d'une masse d'air sur votre vitesse.

Maintenant, voici pourquoi le commandant de la mission prit panique. Alors qu'il volait en direction nord, il se trouva dans une masse d'air qui se déplaçait vers la mer à une vitesse de 40 noeuds. Ainsi, il dérivait vers l'est d'environ un mille par cinq milles parcourus vers le nord. Quand les Grandes Bahamas furent à l'horizon, la mission avait déjà dérivé de 19 milles vers le large. C'est peut-être la position inattendue des Bahamas qui l'incita à soupçonner ses compas. J'ai déjà eu les mêmes doutes au-dessous du **Golden Gate** la nuit, au sujet de mon gyrocompas. Il ne faut pas se fier aux courants extérieurs.

Si le pilote peut conserver une altitude de 5 000 pieds, il peut alors déduire qu'en volant plein ouest il verra la côte de la Floride après 75 milles. Mais il ne sait pas qu'il est 19 milles à l'est de sa position prévue et qu'il lui faudra 94 milles avant de voir la Floride à l'horizon.

De plus, pour compliquer les choses, il devra conserver une vitesse de 175 noeuds parce qu'il affrontera la masse d'air et la vélocité de cette dernière réduira d'autant la sienne. Alors qu'il se prépare à voir la Floride dans 21 minutes, son coefficient d'erreur est de 50 pour cent dans les conditions actuelles, il lui faudra 32 minutes.

Je me suis servi ici de chiffres très conservateurs. J'ai présumé que le pilote aura les Bermudes en vue jusqu'au moment où il apercevra la Floride. J'ai présumé qu'il conservera une altitude de 5 000 pieds et donc un horizon de 95 milles.

Cependant, rien ne nous oblige à prendre ces présomptions pour acquises. Il se peut que le commandant ait amené sa patrouille bien au-delà de l'horizon des Bermudes, à l'estime. Il se peut aussi, surtout à cause du mauvais temps, qu'il lui fut impossible de rester à 5 000 pieds d'altitude. Ces éléments ne feraient que rendre sa situation encore plus pénible.

Entre 15h45 et 16 heures, les pilotes se voyant dans la tempête, volèrent en cercle avec prudence afin de retrouver leur position. Cependant, il est fort peu probable qu'ils aient pu voler à plus de 1 000 pieds d'altitude. Peut-être même étaient-ils à fleur d'eau.

Maintenant, voici un baume pour le coeur d'un éditeur. Un petit sujet de débat. Il s'agit des pratiques de navigations en formation de la marine américaine. En dernier ressort, un groupe de navires ou d'avions doivent suivre les directives du OTC, **Officer in Tactical Command**. Il est le chef. Mais on s'attend à ce que chaque unité prenne ses propres décisions. Ainsi, si l'une s'écarte des autres, elle ne se perdra pas.

En réalité, ce n'est pas toujours ce qui arrive. Lorsqu'il s'agit de missions de routine, la navigation individuelle est souvent mise de côté et l'on s'en remet entièrement à l'OTC. De façon générale, tout se déroule alors normalement.

Mais, il y a aussi les fervents de la navigation. C'est l'officier qui est toujours en train de tirer des angles sur tout ce qu'il voit, qui tente de résoudre des problèmes de manoeuvres et qui harcèle sans cesse les opérateurs de radio, s'emparant des ondes pour vérifier son chronographe. Je crois que l'officier à qui le Commandant de la mission passa le commandement à 16 heures, était un de ceux-là. La raison qui me pousse à penser ainsi est qu'il donna des renseignements assez précis à 16h25 quand il annonça qu'il était à 225 milles au nord-est de la base aéronavale de Fort Lauderdale. Si vous avez bien suivi mon raisonnement dans les paragraphes qui précèdent, c'est bien l'endroit où il aurait dû se trouver à ce moment-là.

Seul un authentique mordu de la navigation aurait pu le faire. Il lui fallait baser ses calculs sur l'inscription minutieuse de toutes les moindres manoeuvres, vitesses, et dérivations des points de référence visuels. Quand il attribua de telles dérivations au mouvement d'une masse d'air et non pas aux compas, il était sur la bonne voie. Mais il était trop tard.

Un des carrés qui nous éloignent de la solution du mystère réside dans l'opinion que personne n'eut jamais la plus petite idée de ce qui est arrivé aux cinq avions. Ceci n'est pas tout à fait vrai. Nous pouvons réduire ce carré aux points suivants.

02 heures, 8 décembre 1945. Le capitaine J. D. Morrison, pilote d'un vol de la Eastern Airlines en route vers le nord, rapporta qu'il avait vu des fusées éclairantes rouges et des lumières clignotantes au milieu d'un marais 10 milles au sud-ouest de Melbourne, Floride. Il dit avoir vu des formes humaines à la lueur des fusées.

02h05, même date. Le capitaine Morrison affirma avoir vu un feu qui brûlait dans une région à 20 milles au nord de ses constatations de la veille.

02h30, même date. Le pilote d'un avion de la marine qui était parti de la base aéronavale de Banana River pour vérifier les rapports du capitaine Morrison, affirma que lui aussi vit un feu qui brûlait à environ 50 milles à l'intérieur des terres.

A l'aube du même jour, un épais brouillard recouvrait la région et il était impossible de faire d'autres recherches du haut des airs. Des recherches sur terre et dans les marais à l'aide de véhicules spéciaux demeurèrent infructueuses.

Janvier 1962. Un magazine américain, « The Searcher », obtint ce qui suit de source hollandaise : Les débris d'un avion et des ossements humains ont été découverts récemment au cours d'opérations de creusage dans la rivière Banana. Les restes n'étaient pas en quantité suffisante pour permettre d'en trouver les origines de façon conclusive, mais il est clair qu'il y eut une tragédie de l'air dans cette région.

Le commandant de la mission, dans sa dernière communication, avait dit que les avions n'avaient plus que pour 75 minutes de carburant. A la vitesse de 215 noeuds, ils auraient parcourus 270 milles sur terre. Cependant, il s'approchait d'une masse d'air qui se déplaçait à 40 noeuds, et la distance au sol s'en trouvait réduite à seulement 219 milles.

En prenant pour pivot un point correspondant aux constatations de Morrisson et les découvertes de la rivière Banana, traçons un cercle dont le rayon est de 219 milles. Nous voyons alors que la circonférence traverse l'endroit exact où les Avengers se trouvèrent en mauvaise posture. De plus, ce point se trouve presque plein est du centre du cercle.

Je crois que la dernière phrase inachevée du commandant devait être celle-ci : « Il semble que nous allons être forcés d'atterrir à Banana River. » Il savait qu'il ne pouvait rentrer à la base aéronavale de Fort Lauderdale, mais il ne savait sans doute pas que le bureau météorologique de Miami avait annoncé qu'une tempête s'élevait aux environs de Banana River.

En décembre 1961, le capitaine E. W. Humphrey, USN, coordinateur de la sécurité aérienne, fit une déclaration au sujet des avions disparus. Tout en insistant que ce qu'il disait n'était que conjecture sans preuve tangible, il affirma : « Il y a de grands vents de l'ouest, en hiver, sur l'Hémisphère du nord, et la mission s'est peut-être rendue plus loin que prévu, sans avoir assez de carburant pour le voyage de retour. L'équipement de radio n'était pas aussi puissant que celui que nous connaissons aujourd'hui, ce qui expliquerait les difficultés de communications qui surgirent alors. »

Si les avions survolèrent le continent à la nuit tombante, dans la pluie et le vent, puis s'écrasèrent dans les marais de la Floride centrale, comment se fait-il que personne ne les ait vus ? Quelqu'un peut fort bien les avoir aperçus, mais sans leur accorder la moindre attention. Les citoyens de Melbourne et de Melbourne Beach, endroits probables que les avions survolèrent en rentrant de la mer, n'avaient pas plus de raisons de prendre note d'une formation volant à basse altitude, qu'ils ne tiennent compte des nombreux vols routiniers de la base aéronavale de Banana River.

Ont-ils été captés par le radar de la base aéronavale de Banana River ? Sans doute mais à si basse altitude ils furent sans doute interprétés comme n'étant pas les caprices tumultueux du ressac des eaux battues par le vent au large de Canaveral.

Pourquoi ne furent-ils pas trouvé dans les marais ? Vous est-il déjà arrivé de voir les marais de la Floride ? Et dans le brouillard, en plus ? Ce sont des marais en terrain plat. Le point le plus élevé dans tout l'état de la Floride n'est qu'à 325 pieds au-dessus du niveau de la mer. Dans un marais semblable, enveloppé par le brouillard, vous avez l'impression d'être dans un univers étrange, sans dimension et sans points de repère. Par contre, il y a le sable mouvant, les tarentules, les alligators et les serpents qui peuvent vous foudroyer aussi subitement qu'une électrocution.

Un jour que nous traversions une région marécageuse, l'officier qui m'accompagnait posa la main sur ce qu'il croyait être une vigne. Cette chose le mordit. Il se retourna vers moi la bouche et les yeux grands ouverts sans émettre le moindre son. Un infirmier lui administra une injection et lui sauva la vie. Plus tard il me disait : « Il me frappa comme un coup de marteau. Tout devint noir en même temps. J'avais l'impression d'avoir une bande d'acier autour de la poitrine. S'il avait fallu que j'appelle au secours, je n'aurais pu le faire. »

Soulignons aussi les problèmes de la faim et d'exposition à toutes sortes de dangers...

N'y aurait-il pas eu du feu et de la fumée là où les avions s'écrasèrent ? Non, puisque les réservoirs étaient vides.

N'y avait-il pas un poste émetteur automatique « Gibson Girl » ? Celui qui émet ses propres signaux en code lorsque vous tournez une manivelle après l'avoir placé entre vos genoux. Cet appareil est très utile en mer sur un radeau de sauvetage, mais n'est pas aussi efficace sur terre. N'oubliez pas non plus qu'il faut d'abord le sortir de l'avion, ce qui n'est peut-être pas toujours facile dans un lac marécageux ou dans les sables mouvants.

Résumons et faisons une hypothèse sommaire à partir de ce que nous avons vu jusqu'ici.

Une escadrille de cinq avions décolle de la base aéronavale de Fort Lauderdale sous un ciel clément et sur une mer relativement calme. Son plan de vol était simple et la mission devait s'accomplir au moyen de points de repère visuels.

Après avoir franchi la deuxième étape de son trajet, la mission continua plus loin en direction nord pour des raisons que les membres de l'équipage avaient jugées à propos.

Chemin faisant, les avions rencontrèrent cette même masse d'air rapide et vigoureuse qui avait traversé la Floride plus tôt dans la journée. Ceci les força à dévier vers le large et suscita une certaine confusion dans la lecture des compas. Le Commandant de la mission crut alors que les compas étaient à blâmer.

Il essaya donc de faire un atterrissage à l'estime sur la côte de la Floride, mais se trompa car il avait mal calculé sa position et n'avait pas su évaluer correctement la vélocité de la masse d'air. Le problème était d'autant plus compliqué que le soleil était obscurci par les nuages.

Le Commandant de la formation passa le commandement à un officier qui avait, selon toute apparence, noté soigneusement les progrès de la mission. Le commandant de relève calcula sa position approximative avec assez de justesse et fit un virage en cercle de 270 degrés dans l'espoir d'atteindre la base aéronavale de Banana River.

Cependant, des orages et de la turbulence au large de Cap Canaveral, de même qu'une panne sèche, l'empêchèrent de mettre son projet à exécution.

Au moins trois des avions s'écrasèrent dans les marécages à l'est de Melbourne. Un autre tomba dans la rivière Banana qui n'est en réalité qu'une lagune de 30 milles en forme de banane et sépare Merritt Island de la péninsule de Canaveral. Cet avion a peut-être été renversé dans la lagune par la turbulence atmosphérique, surtout s'il a manqué de carburant. Dans ce cas, il a dû plonger jusqu'au fond instantanément.

Lorsque le Commandant rapporta que l'océan n'était pas comme d'habitude, il fournissait ainsi la preuve que la patrouille était rendue plus loin au large qu'il ne le croyait. Les eaux continentales peu profondes près de la Floride sont beaucoup plus pâles que celles du Gulf Stream qu'il était en train de survoler et qui ont 2 000 pieds de profondeur. Ordinairement, le Gulf Stream est d'un bleu magnifique, mais il devient sombre et menaçant lorsque le ciel est très couvert.

Parlons maintenant du gros hydravion Mariner.

Quoiqu'on en dise, rien ne nous force à faire du Mariner et des Avenger un seul et unique mystère. Il n'existe aucun rapport sauf que l'un était parti à la recherche des autres. C'est vrai que le dernier contact du Mariner avec la base aéronavale de Fort Lauderdale fut un rapport de routine transmis vingt minutes environ après le décollage. Certains en déduisent que c'est à ce moment-là qu'il disparut. Cette théorie est sans fondement. Il est d'usage militaire d'éviter autant que possible les rapports négatifs. Autrement dit, si vous cherchez quelque chose et ne le trouvez pas, vous ne vous acharnez pas à appeler la base pour proclamer votre échec. Le personnel de la base veut entendre les bonnes nouvelles.

Le 5 décembre, à 19h50, le SS Gaines Mills voguait le long de la côte de la Floride à peu de distance de New Smyrna Beach quand il vit une explosion haut dans les airs et du côté de la mer. Il lui sembla alors qu'un avion tombait en spirale dans l'océan.

Depuis Orlando jusqu'à Melbourne, des fermiers affirmèrent avoir entendu une explosion à peu près au même moment.

Le Gaines Mills ne pouvait préciser l'endroit exact de l'explosion et n'en fit rapport que quelques jours plus tard. Des avions de recherches se rendirent immédiatement aux environs mais ne purent trouver de débris ni de nappes de gasoline. Il aurait été étrange qu'il en fût autrement car le Gulf Stream aurait déjà eu tout le temps voulu pour transporter le tout à 200 milles de distance au moins. Lorsqu'un avion s'écrase en flammes, la nappe de gasoline ne dure que le temps de se consumer, mais il peut y avoir quand même quelques traces d'huile.

Comme il n'y avait pas d'autres avions qui manquaient à l'appel à cette époque, nous avons lieu de croire que l'explosion vu par l'équipage du Gaines Mills marquait la fin du Mariner. Pourquoi le Mariner fit-il explosion en plein vol ? Voilà un autre problème.

L'explosion ne pouvait-être celle de l'un des Avengers puisque, nous l'avons vu plus haut, ils étaient tous en panne sèche deux heures auparavant.

Nous venons donc de choisir un exemple parmi tous les mystères du Triangle des Bermudes. Nous en avons scrupuleusement étudié les éléments à la lumière du bon sens, et nous l'avons dépouillé de tous vestiges paranormaux. Ce qui nous reste n'est certes pas encore tout à fait invulnérable devant la critique, mais plus facile à croire que les explications fondées sur les « trous dans le ciel » ou des tortillements hypothétiques espace-temps.

Les phénomènes paranormaux existent et je suis convaincu que plusieurs ont eu lieu dans le Triangle des Bermudes. Cependant, nous réussirons à séparer les mystères authentiques de ceux qui ne sont bizarres qu'en apparence, qu'en les retirant tous des mains des colporteurs de miracles pour les entasser sur les pupitres des mathématiciens et des géographes.

5. MYSTÈRE PUBLIC UN.
OU NE SERAIT-CE
QU'UNE MYSTIFICATION ?

UNE ENTREVUE
AVEC LAWRENCE DAVID KUSCHE

Par Wanda Sue Parrott

Lawrence David Kusche, recherchiste de la bibliothèque de l'Université de l'état de l'Arizona à Tempe, est probablement l'étudiant le plus méticuleusement informé au sujet du Triangle des Bermudes. Dans son livre « *The Bermuda Triangle Mystery-Solved* » (Harper & Row, 1975), il analyse les preuves qui supportent les déclarations souvent spectaculaires émises par les autres sur les circonstances et les causes possibles de la disparition de bateaux, d'avions, et d'êtres humains dans cette région. Kusche a reçu son B.A. en mathématique de l'Université de l'état de l'Arizona en 1964, un M.A. en éducation collégiale, en 1966, et détient une maîtrise de bibliothécaire de l'Université de Denver depuis 1968. Dans son ouvrage, Kusche en vient à la conclusion que « la légende du Triangle des Bermudes est un mystère fabriqué » où la recherche superficielle, les fausses conceptions, les faux raisonnements et la recherche du sensationnel jouèrent un rôle.

Alors qu'elle était reporter et journaliste au *Los Angeles Herald-Examiner* de 1968 à 1974, Wanda Sue Parrott se spécialisa en sciences, en éducation et en psychologie, en mettant, selon elle, un accent peu conventionnel sur la parapsychologie. Son intérêt pour la science remonte à sa période d'études secondaires lorsqu'elle installa une station météorologique complète dans la maison de ses parents. Ses articles, signés de son nom ou de pseudonymes, ont été publiés dans « *Fate* »,

« *Chimes* » et « *Orion* ». Son premier livre, « *Understanding Automatic Writing* », parut en 1974. Elle habite maintenant à Tempe, Arizona, où elle écrit et fait du cinéma.

Le mystère du Triangle des Bermudes est-il une mystification ? Les écrivains et les journalistes ont-ils tiré des conclusions inexactes des informations qu'ils utilisèrent comme base de leurs travaux, créant ainsi un mythe étrange au sujet des bateaux, des avions et des personnes disparues ?

Le Triangle des Bermudes, mystère public numéro un de l'histoire américaine au milieu des années 1970, est une soi-disant zone triangulaire dans les eaux de l'Océan Atlantique, à partir de Miami, Floride, vers le nord jusqu'aux Bermudes et vers le sud traversant les îles Bahamas, les Antilles, la Guadeloupe et la Barbade. On rapporte que dans ce cimetière d'eau, une centaine d'avions sont disparus mystérieusement au cours du siècle dernier. Plus d'un millier de personnes y perdirent la vie.

S'il y a une solution à ce mystère, il est quand même évident que la grande partie de la population a créé une multitude de cultes spirituels autour du mystère, en basant ses croyances sur des concepts tels que ceux-ci : des êtres extra-terrestres ou d'anciens astronautes ont visité notre planète pour y établir des bases, et les avions modernes qui traversent ces régions disparaissent comme s'ils s'étaient envolés dans l'espace ; ou encore, des sources d'énergie en provenance de l'Atlantide engloutie seraient responsables des disparitions. Pour ceux qui adhèrent au culte du Triangle des Bermudes, leur appartenance est devenue une quasi-religion. D'autres traitent l'affaire comme un conflit politique : les croyants sont dans un coin de l'arène, et les incroyants sont dans l'autre.

Y a-t-il une réponse pour ceux qui se trouvent au centre, les hommes et les femmes et qui ne savent pas dans quel coin se trouve la vérité ? Ceux-ci demeurent perplexes devant la situation et se demandent : Est-ce vraiment le mystère public numéro un ?

Dans un effort pour dénicher une réponse objective à cette question, j'ai visité le centre d'information bibliographique sur le Triangle des Bermudes et j'ai parlé avec Lawrence David Kusche, auteur de « **The Bermuda Triangle Mystery-Solved** » (Harper & Row, 1975). Ironiquement, Kusche vit et travaille au centre du désert aride de l'Arizona, à plus de 2 000 milles de ces eaux présumément perfides qui firent de lui l'un des « plus grands spécialistes du Triangle des Bermudes en Amérique ».

Au cours de la première moitié de 1975, j'ai rendu visite à Kusche sur le campus de l'Université de l'état de l'Arizona où il était bibliothécaire chargé des références scientifiques depuis six ans.

Ce campus moderne et compact est une véritable oasis de verdure et de briques dans un environnement sec, poussiéreux, et situé naturellement dans la Vallée magnétique du Soleil.

Le campus repose au pied d'une série de collines de pourpre sombre nommées Tempe Butte. Au nord se dresse la célèbre montagne Camelback comme un seigneur silencieux qui règne sur la vallée. Tout près, se trouve une autre formation de rochers connue comme « Le Moine ». Le campus occupe un terrain plat de 330 âcres où plus de 30 000 étudiants assistent à des cours du jour et du soir, et c'est là que Lawrence David Kusche fit ses recherches sur le mystère du Triangle des Bermudes.

C'était la première fois que je me rendais à la bibliothèque Hayden, mais ce n'était pas ma première visite sur le campus. J'étais venue dans la région de Phoenix à l'automne de 1974 pour terminer mes recherches et la rédaction de « **Auras** » pour le compte de Sherbourne Press. Cette partie de l'Arizona d'une superficie de quarante milles carrés était un véritable centre de psychisme en Amérique. Mes propres travaux avaient démontré que bien que ce fût un centre de psychisme, avec plus de médiums, de pasteurs, de sorciers, de guérisseurs et de devins que partout ailleurs, ce n'était pas un centre authentique de recherches psychiques. Des milliers d'hommes et de femmes discutaient de la « vérité », s'adonnaient à la perception extra-sensorielle, la chiromancie, l'astrologie, l'interprétation de l'aura et la guérison avec une étonnante facilité, mais peu d'entre eux pouvaient expliquer le comment et le pourquoi de ces principes. Plusieurs de leurs « vérités » n'étaient fondées que sur la foi seulement. Nous constatèrent que plusieurs de ces soi-disant centres psychiques de la vérité ne partageaient pas les mêmes opinions. Pour un bon nombre de ces esprits qui se croyaient « éclairés », la science devenait donc une menace, et non pas un bienfait. Allais-je découvrir que Lawrence David Kusche était un autre de ces « psychistes opportunistes » de bonne foi mais mal renseignés, mûris dans la Vallée du Soleil?

Comme la bibliothèque Hayden, Lawrence David Kusche semblait propre et neuf quand je l'aperçus derrière une cloison vitrée, en train d'expliquer un problème de recherche à un étudiant en jeans bleus. Cheveux courts, barbe drue, c'est un homme mince aux muscles d'athlète, d'un peu moins de six pieds et dans la trentaine. Sa poignée de main ne fut ni chaleureuse ni indifférente. Il plongea dans les miens ses yeux d'un brun foncé. La monture noire de ses lunettes accentuait les nuances de sa barbe et ses cheveux terre de Sienne. Durant l'entrevue, il me regardait en face quand il parlait, ce que plusieurs psychistes et prétendus experts dans plusieurs disciplines ne parviennent jamais à accomplir. « Appelez-moi Larry », me dit-il. « C'est ainsi que je suis connu ici ». Une petite plaque d'identité à gauche, sur le revers de sa chemise brune à longues manches, le distinguait des étudiants dont quelques-uns étaient plus âgés que lui.

A plusieurs reprises au cours de l'entrevue Larry Kusche s'excusa pour aider des étudiants en quête de documentation sur une quantité de sujets depuis la psychologie de l'enfant jusqu'au Triangle des Bermudes. Il évita de mentionner que lui-même avec l'aide d'un collègue, avait écrit les ouvrages qu'il remettait à ceux qui s'informaient sur le Triangle. En vérité, il insista : « J'ai rassemblé ce matériel dans le seul but d'aider les étudiants à trouver ce dont ils ont besoin ». Il avait commencé sa bibliographie sur le Triangle des Bermudes en 1972, « car les étudiants ne cessaient de nous demander de la documentation et nous ne pouvions pas en trouver ». Il accomplit ce travail sur le Triangle des Bermudes dans ses temps libres et pendant les fins de semaine. Le projet fut terminé en 1973. Les commandes arrivèrent en provenance de la population en général, d'organisations de recherches scientifiques et de librairies à travers le pays.

« Je me rendis compte alors qu'il fallait écrire un livre », me dit Kusche. « Ma première intention était d'écrire un livre qui raconterait les incidents majeurs qui ont créé le mystère du Triangle des Bermudes. Une anthologie ». L'année suivante, plusieurs livres firent leur apparition et un film au sujet du Triangle fut projeté un peu partout dans la nation. Vers la fin de 1974, le Triangle des Bermudes était devenu indéniablement le mystère public numéro un. Kusche dont les méthodes incluaient l'étude de vieux journaux pour prendre connaissance des premiers comptes rendus sur les incidents du Triangle, constata que les histoires que l'on racontait au cours du vingtième siècle étaient souvent tout à fait différentes des rapports réels qui furent publiés dans les journaux du dix-neuvième siècle.

Ainsi, le manuscrit de son livre qui était complété et sous contrat avec Harper & Row, avait une tournure différente de tous les autres qui avaient été publiés sur le Triangle des Bermudes. Kusche incorpora les légendes populaires qui avaient été dites et redites, ajouta les comptes rendus réels qu'il avait dénichés au cours de ses recherches et fit la liste bibliographique des auteurs mentionnés dans son ouvrage.

« Mon but n'était pas de démolir une ou plusieurs théories », me répéta Kusche tout en réaffirmant sa croyance que le mystère avait plusieurs facettes. « Je ne veux pas donner l'impression de vouloir tourner au ridicule ce que les autres ont écrit. Mais après toutes mes recherches, je suis d'avis que les autres livres précédents n'ont fait qu'effleurer la surface. Il y avait un besoin véritable pour un livre de ce genre. »

La renommée de Kusche se répandit et il devint « l'expert du Triangle des Bermudes ». Il dut se soumettre à une foule d'entrevues et d'émissions radiophoniques. Il fut alors plongé dans l'incertitude au sujet de son avenir : « Quelle sorte d'homme suis-je ? Eh bien ! Je suppose que l'on pourrait dire que j'appartiens à la classe moyenne. Je suis marié, j'ai deux enfants, un chien, et une Pontiac 1964 que je ferai peut-être repeindre quand je commencerai à recevoir mes droits d'auteur. »

Kusche se sert d'une bicyclette à trois vitesses pour se rendre au travail. « J'habite à trois milles du campus », dit-il. « Je travaille ici depuis six ans et j'ai probablement pédalé pendant 5 000 milles. En outre, je m'entraîne chaque jour sur une piste d'un demi-mille et je fais entre cinq et dix milles de course par jour. »

Il ne s'est jamais rendu sur le site actuel du mystère du Triangle des Bermudes. « L'Arizona est mon univers », dit-il.

Vous trouverez ci-après les questions et les réponses au sujet de ce mystère, enregistrées au cours de mon entrevue avec Lawrence David Kusche, le 12 février 1975 :

WSP : Vous affirmez que votre livre est différent de tous ceux qui ont été écrits sur le mystère du Triangle des Bermudes. Pourriez-vous nous dire pourquoi ?

Kusche : C'est une solution. C'est une revue objective de tous les renseignements que j'ai pu trouver. Chaque incident fut analysé scrupuleusement, indépendamment de tous les autres ; par conséquent, j'ai trouvé la solution.

WSP : Si ce n'est pas un véritable mystère, voulez-vous insinuer que c'est une mystification ?

Kusche : Les auteurs qui ont écrit avant moi, que ce soit à dessein ou parce qu'ils étaient naïfs, ont créé le mystère. J'ai découvert que plusieurs choses que les écrivains qualifient de mystérieuses ne le sont pas réellement si vous vous donnez la peine de fouiller pour vous informer un peu plus. Les écrivains qui ont déjà écrit sur le sujet devaient être de très mauvais chercheurs, démunis de curiosité, très naïfs, ou complètement en quête du sensationnel. Les mystères ne sont que la pauvreté de leurs propres informations.

WSP : Vous êtes très catégorique. Croyez-vous que les gens accepteront votre solution au mystère du Triangle des Bermudes, ou ne pensez-vous pas qu'ils refuseront de vous croire parce que vous leur enlevez la croyance qu'ils ont en quelque chose de paranormal ou surnaturel ?

Kusche : Si cela est un exemple du paranormal, je dirais alors que le paranormal est sur le point de faire faillite. En octobre 1974 et février 1975, j'ai adressé la parole à plusieurs groupes civiques ou scolaires, devant environ 7 000 individus peut-être, et une seule personne mit vraiment le doigt sur le bobo. Cette personne demanda : » Quelqu'un s'est-il jamais donné la peine de vérifier si ce que disent les auteurs précédents est vrai ? » Tous les autres posèrent des questions de contes de fées comme celles-ci : « Pensez-vous que d'anciens astronautes soient les responsables ? » ou « Ont-ils été capturés par des OVNI ? » Ils avaient accepté tous les « faits » qu'on leur avait présentés et tentaient maintenant de trouver une solution basée sur ces renseignements erronés.

La théorie des anciens astronautes est une absurdité et les solutions psychiques du mystère du Triangle ne sont que de la pure recherche du sensationnel.

La plupart des gens n'approfondissent pas tellement le sujet. Ils lisent des livres populaires remplis de préjugés, ou parfois ne font « qu'apprendre » par ouï-dire sans même se donner la peine de lire les livres, satisfaits d'un simple coup d'oeil superficiel. J'ai trouvé que chacun à qui j'ai parlé « connaissait » le Triangle des Bermudes, mais la plupart n'en avait qu'entendu parler. Ils n'avaient pas pris le temps de s'informer plus sérieusement.

WSP :   Comment en êtes-vous venu à écrire ce livre ?

Kusche :   L'idée germa au début de 1972 quand les étudiants de l'Université de l'état de l'Arizona ne cessaient de demander de la documentation sur le Triangle des Bermudes alors que nous n'avions rien à leur offrir. Deborrah Blouin, qui est aussi bibliothécaire, et moi-même, avons décidé ensemble de dresser une liste de tous les articles que nous pouvions trouver. Nous avons consacré six mois à ce projet, écrivant des lettres et faisant des recherches. J'ai compris alors que quelqu'un devait réunir tous ces articles et les publier sous forme de livre car il n'y en avait pas à cette époque. « **Limbo of the Lost** » n'était pas encore très connu. Nous avons permis l'accès à notre bibliographie, et nous nous sommes vite rendu compte que tout le monde semblait avoir des difficultés à trouver de l'information. En effet, les demandes affluèrent et nous avons reçu des commandes de John Wallace Spencer, Richard Winer et Charles Berlitz. Harper & Row en demanda un exemplaire également et j'en profitai pour leur annoncer que j'étais en train d'écrire un livre. Cette maison d'édition m'offrit un contrat après en avoir lu deux chapitres.

J'avais commencé d'écrire tôt en 1973, et Harper & Row se proposait de lancer le livre vers le mois d'avril 1974. Mon livre aurait donc été publié cinq mois avant celui de Berlitz, « **The Bermuda Triangle** », dont nous ne savions rien, naturellement. Au début, j'avais réussi à obtenir plusieurs reportages que j'avais rattachés à l'aide de quelques phrases appropriées pour en faire un ensemble cohérent. Ceci représente un cinquième de mon livre et est écrit en italique.

J'abandonnai mon plan original car je commençais à m'apercevoir que c'était plutôt d'une disette d'informations que d'une absence de solutions dont chacun souffrait.

Plus je plongeai dans le sujet, plus je rencontrai de difficultés. Il n'y eut pas que la recherche et la rédaction, mais l'éditeur eut également des problèmes d'impression. En fin de compte, la date de publication fut retardée d'un an.

WSP : N'avez-vous pas l'impression que tous ces livres sur le Triangle des Bermudes portent le public à faire une pause et à réfléchir ? Par exemple, John Wallace Spencer nous offre comme conclusion dans « **Limbo of the Lost** » que des vaisseaux extra-terrestres sont responsables des disparitions étranges de bateaux et d'avions dans le Triangle. Par contre, votre point de vue est différent.

Kusche : Je ne pourrais pas dire d'un livre que c'est un « livre à réflexion » si ce livre ne présente qu'un seul point de vue et s'efforce de renforcer une conlusion préconçue sans indiquer d'où proviennent les renseignements.

La plupart des gens avec qui j'ai parlé me disaient qu'ils entretenaient des pensées créatrices (« se forçaient les méninges »), mais tout ce que j'entendis ne furent que quelques bribes de phrases puisées dans Berlitz, Von Däniken, et tous les autres du même acabit.

Je crois que mon livre est un défi pour l'intellect car il présente pour la première fois un autre aspect du sujet. Si jamais quelqu'un s'arrête et réfléchit sur la matière, ce sera à cause de l'information que je présente. Je l'ai obtenue des gardes-côtes, de la marine, et des dossiers de **Lloyd's of London**, ainsi que des reportages originaux sur les « disparitions » de ces vaisseaux tels que publiés dans les journaux du temps.

J'ai aussi fait des recherches dans **The New York Times** pour voir combien de navires et d'avions s'étaient perdus depuis 1851 jusqu'à nos jours et j'ai découvert qu'il y avait eu au moins deux fois plus de disparitions entre la Nouvelle-Angleterre et l'Europe du Nord que dans le Triangle des Bermudes. Ceux qui ont écrit sur le mystère n'ont pas jugé bon de rapporter ces autres éléments ou peut-être qu'ils n'en connaissaient même pas l'existence. C'est beaucoup plus agréable et facile, plus rapide aussi, d'écrire une histoire mystérieuse que d'essayer de découvrir la vérité.

L'ignorance de ce dont il parle est un grand avantage pour le pseudo-scientifique qui écrit des histoires mystérieuses.

WSP : Croyez-vous que des auteurs aient délibérément voulu commettre une supercherie ?

Kusche : Il est probable que beaucoup d'écrivains croient ce qu'ils écrivent. J'ai moi-même cru ce qu'ils disaient jusqu'à ce que je décide de vérifier.

La plupart des auteurs ont accepté ce que les autres avaient écrit et en ont fait leur point de départ. L'histoire du Ellen Austin, par exemple, nous parle d'un navire qui fut trouvé au milieu de l'Atlantique. L'équipage était disparu. Une équipe de sauvetage monta à bord et disparut dans un épais brouillard. Une deuxième équipe suivit et cette fois, le bateau lui-même et les hommes disparurent durant une tempête. Du moins, c'est ce que l'on raconte généralement. En ce qui me concerne, ce n'est pas tout à fait ce qui s'est passé, mais d'autres écrivains acceptèrent cette version et la répétèrent.

J'ai fait des recherches au sujet du Ellen Austin en empruntant des microfilms de journaux par l'entremise de l'**Interlibrary Loan Department** à l'Université de l'état de l'Arizona. D'abord, j'empruntai le **Newfoundlander**, de Saint-Jean, puisque c'est vers cet endroit que l'Ellen Austin se dirigeait. J'ai scruté le journal jour par jour, chaque colonne de chaque page, de janvier 1881 jusqu'à juin 1882. J'ai vu plusieurs articles sur des incidents maritimes, mais rien au sujet de l'Ellen Austin ou de tout incident semblable impliquant un bateau quel qu'en soit le nom. Si l'incident était vraiment arrivé et que le bateau se soit rendu à Saint-Jean, il est absolument incroyable que le journal n'en ait pas parlé.

J'ai écrit à plusieurs journaux et bibliothèques de Terre-Neuve pour leur demander de consulter leurs dossiers. Eux non plus ne purent rien trouver.

Après toutes ces démarches, le livre de Richard Winer, « **The Devil's Triangle** » fut publié et disait que le bateau se dirigeait vers Boston. Je recommençai les mêmes démarches : microfilms, lettres au bibliothèques et journaux, et plus de microfilms. À Boston, on ignorait tout de cette histoire.

WSP :   Alors, d'où vient l'histoire, ou est-ce impossible de répondre ?

Kusche :   Comme pour plusieurs autres histoires, le livre de Vincent Gaddis, « **Invisible Horizons** », en est la source principale. Gaddis donna « **The Stargazer Talks** » de Rupert Gould comme son unique source ; Gould n'écrivit qu'un court paragraphe au sujet de l'Ellen Austin. Il raconta que le bateau fut trouvé abandonné au milieu de l'Atlantique et qu'une équipe de sauvetage monta à bord. Les bateaux furent séparés dans un épais brouillard mais se retrouvèrent plusieurs jours plus tard, et l'épave fut abandonné une autre fois. Il ne fait aucunement mention d'une deuxième équipe de sauvetage ; il ne dit pas non plus comment il obtint ses renseignements. Cependant, je viens d'emprunter un livre plus ancien qui est supposé contenir plus de précisions. J'espère en tirer un peu plus de lumière.

WSP :   La version de Gould n'est pas la plus populaire. Les gens croient que deux équipes de sauvetage disparurent.

Kusche :   Gaddis a dit que Gould était sa source d'information, pourtant nous retrouvons dans son compte rendu beaucoup « d'informations » qui ne sont pas dans l'ouvrage de Gould.

Ensuite, Ivan Sanderson fit son entrée en scène en les citant tous deux : Gould et Gaddis. La version de Sanderson dans « **Invisible Résidents** » occupait une page entière. En le lisant, on aurait cru qu'il avait tout vu de ses propres yeux. Il était très imaginatif.

Berlitz s'appuie très fortement sur Sanderson dans « **The Bermuda Triangle** ». Winer alla même plus loin ! Il parle du capitaine du Ellen Austin qui faisait signe à ses hommes d'avancer avec son pistolet Colt, qui entendait le grincement du bateau et le claquement de la porte de cuisine. Il ajouta même qu'il écrasa une coquerelle en montant sur le navire abandonné. Il se préparait peut-

	être à écrire un deuxième « Moby-Dick ».
WSP :	Aviez-vous l'intention de démolir tous les mythes ou d'enlever aux croyants leur foi en Dieu, même s'il ne s'agissait d'une fausse conception de Dieu basée sur l'opinion que le Triangle des Bermudes était une preuve de pouvoirs surnaturels ?
Krusche :	Je ne peux voir un dieu quel qu'il soit dans tout ceci. De plus, je n'aime pas le mot « démolir » car il laisse sous-entendre que quelqu'un se prépare à prouver que quelqu'un d'autre est dans l'erreur. Ce n'est pas ce que j'ai fait. Du commencement à la fin, mon but n'était même pas de trouver une solution mais simplement d'écrire un livre qui raconterait chaque incident aussi objectivement et honnêtement que possible. La solution était purement involontaire et ne fut qu'un boni additionnel.

J'ai découvert que je ne pouvais compter sur rien de ce que tous les autres avaient écrit sur le sujet car cela manquait de consistance.

Plusieurs vaisseaux que l'on disait disparus dans le Triangle n'étaient même pas dans les parages.

On disait qu'un avion Globemaster s'était évanoui « juste au nord » du Triangle en 1950. J'ai trouvé un rapport de cet incident dans **The New York Times**. Cet avion avait explosé en 1951, et non pas en 1950, 600 milles à l'ouest de l'Irlande, ce que j'appelle vraiment étirer le Triangle un tant soit peu.

Le Freya, selon les récits, fut trouvé mystérieusement abandonné dans le Triangle en 1902. En réalité, il avait été retrouvé dans l'Océan Pacifique près de Mazatlá, Mexique.

Le Rubicon fut trouvé à la dérive au large des côtes de la Floride en 1944. Il n'y avait qu'un seul article sur ce navire dans le *New York Times*, et cet article disait aussi qu'un ouragan avait frappé la Havane où le Rubicon était ancré. Cet ouragan était mystérieusement disparu des écrits de tous les auteurs, sauf Winer.

Je découvrais sans cesse que les pertes étaient dues à des causes fort simples. La question la plus importante est alors celle-ci : « Comment et pourquoi le mystère atteignit-il autant d'ampleur ! » Et j'essaie de comprendre comment l'histoire prit naissance, fut nourrie et se mit à grandir. A mes yeux, cela est beaucoup plus intéressant que le mystère du Triangle des Bermudes ou sa solution, car ces trouvailles peuvent servir dans des domaines connexes.

Il existe une bonne clique d'auteurs soi-disant scientifiques qui écrivent sur l'inconnu et produisent ce genre de littérature sur les anciens astronautes, les OVNI, le Triangle des Bermudes, et autres sujets de même nature, depuis des années et sans que nul ne s'y oppose. Je veux me servir de mon bélier mécanique et prouver que leur maison est fragile car elle est faite de bulles de savon et de babioles.

WSP :   Que pensez-vous des avions qui sont disparus dans le Triangle des Bermudes, particulièrement les six avions militaires en 1945 ?

Kusche :   L'affaire du Flight 19 est complexe, mais elle ne comporte rien de mystérieux, sauf ce qui a été écrit sur le sujet par la suite. Beaucoup de ce que l'on appelle le monde occulte est le résultat de recherches médiocres qui s'ajoutent à d'autres recherches médiocres. Quelqu'un s'emparera d'un article de journal et le citera hors contexte ; puis, un autre auteur s'amène et cite le premier sans se donner la peine de vérifier la source. Finalement, un troisième cite lui aussi, à faux probablement, ou enjolive ce que le deuxième a dit, et affirme que tout est exact et bien documenté.

Ma solution au mystère du Triangle des Bermudes touche le domaine tout entier de « l'occulte » ou « pseudo-science », car il deviendra évident que plusieurs de ces auteurs ne rapportent pas des mystères qui existent, mais imaginent des mystères qui n'existent pas.

WSP :   Si le mystère du Triangle des Bermudes fait partie d'une pseudo-science ou d'une science marginale, pourquoi les hommes de science authenthiques n'ont-ils pas découvert les faits et transmis leurs conclusions à la population curieuse . . . ou naïve, si vous préférez ?

Kusche :   Ils ont appris au cours des années qu'il ne sert de rien de combattre cet état de chose. Le tirage de la littérature à sensation est beaucoup plus élevé que celui des ouvrages scientifiques. La plupart des gens n'ont même jamais entendu parler de points de vue contradictoires. Sachant que leurs réfutations n'iraient pas loin, les vrais savants n'ont aucunement l'envie de se promener ici et là pour expliquer des articles de journaux incomplets. Déjà dans les années 1920, Charles Fort écrivait des livres que « la science n'ose pas commenter ». La grande partie de ce qu'il a dit n'était que divagations puisées à même une

	grande collection de coupures de journaux qu'il acceptait telles quelles, sans vérification aucune.
WSP :	Qu'arriva-t-il à tous ces bateaux et ces avions, et pourquoi ne furent-ils jamais retrouvés ?
Kusche :	Ils ont coulé en eau profonde.
WSP :	Avez-vous déjà volé ou navigué dans le Triangle des Bermudes ?
Kusche :	Non. Je vis dans l'Arizona et je ne suis même jamais allé près du Triangle des Bermudes, cependant j'irai certainement un jour. Mes recherches étaient de nature historique, les miennes et celles des auteurs qui m'ont précédé.

Il n'était pas nécessaire de se rendre sur les lieux pour faire ces recherches. Le matériel que j'ai trouvé grâce à **Interlibrary Loan**, ou encore par la poste ou le téléphone est exactement le même que j'aurais obtenu si je m'étais rendu en personne. Ce n'est pas une promenade dans le Triangle qui aidera quiconque veut savoir ce qui arriva au Flight 19, il y a déjà trente ans, par exemple. Les auteurs qui ont créé le mystère n'ont apparemment pas tiré bénéfice d'être près du Triangle, car ils écrivaient dans le but de dire à qui voulait entendre jusqu'à quel point ils étaient plongés dans la confusion.

Certes, j'aime un mystère comme tout le monde, mais je peux me rendre compte de la différence entre une vérité et une demi-vérité. Quand nous réussirons à séparer les mauvais renseignements des bons, nous pourrons peutêtre alors nous pencher sérieusement et honnêtement sur des sujets tels que les OVNI, les visites extra-terrestres, et le Triangle des Bermudes. Pour le moment, les amateurs de sensation suscitent tellement d'obstacles que les bons renseignements, s'ils existent, demeurent cachés.

Un bon nombre de personnes n'ont pour toute connaissances que ce dont ils ont entendu parler, ce qui ne les empêche pas de se livrer à d'interminables discussions avec ceux qui sont bien renseignés. Les adeptes du ouïedire sont les plus sévères des critiques quand il s'agit de trouver des failles dans le raisonnement d'autrui ; pourtant ils ne font pas la moindre recherche et ne lisent même pas. Je me suis rendu compte que beaucoup parmi ceux qui tentèrent le plus d'argumenter avec moi, soit dit en passant que je préfère discuter à argumenter, n'avaient jamais lu de livres sur le « mystère » du Trianggle. Ce manque de savoir les poussa à inventer ou à croire des « explications » telles que les OVNI ou des « rayons de la mort » provenant de l'Atlantide, sans que jamais la pensée ne les effleure qu'il y avait peut-être une très simple solution.

Les renseignements que j'ai rassemblés sont très sérieux et ceux qui refusent d'y croire devraient se demander pourquoi ils ne le font pas. Doutent-ils de mes sources, ou désirent-ils s'accrocher à un « mystère » peu importe l'information contraire qui leur saute aux yeux ? Comme le dit un proverbe de ma propre confection : « Si vos yeux sont toujours fixés sur l'horizon, vous ne verrez probablement pas ce qui vous pend au bout du nez. »

Au cours d'une entrevue subséquente avec Lawrence David Kusche le 20 février 1975, j'ai tenté une petite expérience pour voir s'il était vraiment l'homme de sa parole : ouverture d'esprit suffisante pour écouter le point de vue des autres tout en conservant ses propres convictions. Naturellement, il ne savait pas que je lui tendais un piège. « Puis-je voir les paumes de vos mains ? » demandai-je, et il me les tendit. Je lui fis quelques remarques personnelles fondées sur les concepts populaires de la chiromancie telle qu'on la pratiquait beaucoup dans la Vallée du Soleil. Je terminai en traçant une ligne longue mais très fine qui se rendait jusqu'à son petit doigt.

« Cette ligne indique que vous ferez de considérables gains financiers dans un avenir très rapproché », lui annonçai-je.

Je fis une pause et ce fut le silence. Au bout d'un moment, Larry Kusche sourit et me dit avec une sereine dignité : « J'aime ce que vous venez de dire, mais je veux être honnête avec vous et je vous affirme que je n'en crois pas un mot. »

6. EDGAR CAYCE
EN QUÊTE DE L'ATLANTIDE

par David D. Zink

Le plus célèbre voyant américain de notre siècle, grâce à ses talents de clairvoyance ou de rétrospection, peut-il aider à éclaircir le mystère du Triangle des Bermudes ? Le docteur David Zink, aujourd'hui professeur de français à l'Université Lamar, Beaumont, Texas, s'est livré à des recherches spéciales dans des domaines aussi insolites que la *photographie Kirlian*, la parapsychologie en général, l'Atlantide, l'expérience mystique, l'évolution de la conscience humaine et sa propre philosophie de la personnalité : la « psychointégration ».

Le point de départ pour faire la liaison entre l'Atlantide et le Triangle des Bermudes se trouve dans les ouvrages d'Edgar Cayce dont les dix millions de mots sont conservés par l'**Association for Research and Enlightenment** (ARE), Virginia Beach, Virginie. En parapsychologie, les preuves s'accumulent de la validité des travaux accomplis par des psychistes authentiques comme le défunt prophète et clairvoyant Edgard Cayce, mais je ne suis pas sans savoir que les milieux scientifiques manifestent toujours une extrême réticence devant les renseignements obtenus par les méthodes psychiques. Il n'en reste pas moins que face à la complexité des phénomènes du Triangle des Bermudes, le penseur occidental ne peut s'empêcher d'entrevoir des possibilités encore plus bizarres.

La version de Cayce sur l'Atlantide est le fruit de 2 500 états de transes médiumniques au cours desquelles il aurait décrit une ou plusieurs des vies antérieures de 1 600 personnes. Ces séances eurent lieu entre le 11 octobre 1923 et le 3 janvier 1945. On y trouve l'évolution de l'Atlantide, son apogée et sa chute finale : immenses cités de pierre ; moyens de communication modernes et électroniques ; transport sur terre, dans les airs, et sur la mer ; neutralisation de la gravité ; harnachement de l'énergie solaire au moyen de « pierres de feu », et transmission à distance de cette même énergie aux véhicules de l'air, de la terre ou de la mer. D'après les visions de Cayce, le mauvais usage de ces cristaux fut la cause d'au moins un des cataclysmes qui précipitèrent l'activité tectonique qui détruisit l'Atlantide.

En plus de la technologie exotique de l'Atlantide selon Cayce, sa théorie des esprits qui entrèrent dans la matière et finalement ne purent en sortir est conforme à Platon ainsi qu'à l'un de ses disciples des premiers siècles de la chrétienté, Plotinus. Parmi les autres théories que Cayce lui-même endossa à la suite de ses séances, car il était foncièrement chrétien, mentionnons l'idée renversante que la première incarnation de la conscience du Christ, Amelius, se fit sur l'Atlantide.

Cayce révèle que l'Atlantide tomba en décadence à cause de son matérialisme, les perversions et l'exploitation sexuelles, ainsi que l'esclavage. Le déclin devint évident lorsque s'amplifia le conflit entre les Enfants de la Loi d'Un et les enfants de Bélial. Notons ici la similitude avec les Enfants de la Lumière et les Enfants des Ténèbres des manuscrits de la Mer Morte. Les Enfants de Bélial dégénérèrent au point de s'adonner à des sacrifices humains, à la promiscuité sexuelle, à l'exploitation sexuelle par l'asservissement de l'esprit, et finalement le mauvais usage des forces de la nature. Les pierres de feu surtout, qui servaient auparavant à guérir, devinrent des instruments de punitioh et de torture. C'est là peut-être l'origine de la magie noire. Outre ces précisions exotiques, l'affaissement moral rejoint les enseignements de Platon et une foule d'autres opinions fondées sur des principes psychiques.

Cayce a rencontré plusieurs citoyens de l'Atlantide qui étaient réincarnés dans le vingtième siècle. C'était des extrémistes dont la plus grande passion était de servir l'humanité ou d'exploiter les autres. Cayce découvrit que plusieurs avaient un karma individuel ou collectif signifiant l'exploitation d'autrui et représentant des dettes individuelles qui n'étaient pas encore tout à fait effacées. Les observations de Cayce au sujet de l'Atlantide ont été publiées dans un livre par un de ses fils, Edgar Evans Cayce, intitulé « **Edgar Cayce on Atlantis** » (1968).

Les transes médiumniques de Cayce ont été très bienfaisante pour des personnes accablées de difficultés physiques et mentales, et sont prises au sérieux par ceux qui en consultent la teneur comme le fit l'auteur de « **Many Mansions** » (1950), le docteur Gina Cerminara. Ces séances ont-elles prouvé la réincarnation ou simplement un état commun d'inconscience ? Peu importe, car nous ne voulons pas en parler ici. L'une ou l'autre de ces hypothèses, ou d'autres encore, est la suite logique des témoignages et de leur répercussion dans la vie de l'individu. D'autre part, les séances de Cayce contiennent des prédictions au sujet de la « redécouverte » de la technologie de l'Atlantide, et ses prédictions semblent déjà vouloir se réaliser.

Au cours d'une séance qui se déroulait dans le contexte de l'Atlantide, le 21 février 1933, Cayce parle d'un « rayon de la mort » que l'on utilisait anciennement et qui devait être découvert une autre fois 25 ans plus tard. En 1957 des antineutrons furent produits en laboratoire, confirmant ainsi la possibilité théorique de fabriquer une « antimatière » qui aurait des pouvoirs beaucoup plus destructeurs que les réactions nucléaires. En 1958, les laboratoires Bell découvrirent le maser et, plus tard, le laser, dont un type renferme du rubis au même titre que le « cristal de feu » sur l'Atlantide. Naturellement, la puissance destructive de ces appareils est encore relativement petite.

Afin d'en arriver à une hypothèse valable sur le Triangle des Bermudes, imaginons alors que Cayce nous a vraiment montré l'image d'une civilisation phéhistorique dont les vestiges incluraient le soi-disant « cristal de feu », à l'état latent peut-être, et se ranimant peut-être aussi à l'improviste. Imaginons également que la situation géographique selon Cayce, près de Bimini, est également exacte. Jusqu'ici, nous avons donc la possibilité d'une ancienne source de pouvoir puisant à même l'énergie solaire comme explication plausible des disparitions mystérieuses et des anomalies électro-magnétiques qu'ont rencontrés de petits bateaux et des avions en traversant le Triangle. Ces anomalies, y compris les compas erratiques, les ruptures de communication et d'allumage, ont été laborieusement recueillies par mon ami le docteur J. Manson Valentine de Miami. Elles apparaissent dans le livre de Charles Berlitz « **The Bermuda Triangle** » (1974).

L'hypothèse d'une ancienne source d'énergie ne va pas à l'encontre d'Ivan Sanderson, dans « **Invisible Residents** (1970) », quand il décrit les anomalies de gravité et les autres, dans les régions de la surface de la terre où des courants d'eau chaude se forment en un jet étroit et se précipitent dans des eaux plus froides. Si l'Atlantide a vraiment existé, ses habitants étaient peut-être en meilleure harmonie avec les forces de la nature que nous le sommes, du moins jusqu'à leurs derniers jours. Dans ce cas, l'emplacement de leur source d'énergie n'était peut-être pas accidentel.

Finalement, un psychiste dont les travaux jusqu'ici semblent valables mentionnait au cours d'une conférence, que les Bahamas sont une partie de la surface de la terre d'où il est possible de pénétrer spontanément dans des univers parallèles. Encore une fois, cet énoncé ne va pas à l'encontre de l'Atlantide ou des spéculations contemporaines au sujet du phénomène des OVNI qui semblent nous indiquer la présence d'univers parallèles dont les caractéristiques de temps et d'espace seraient différentes des nôtres.

Ces suppositions devraient susciter chez le lecteur une idée de toutes les implications possibles de la région de Bimini. Avant d'entrer dans les détails de l'expédition elle-même, je voudrais éclaircir : (1) ce que signifie pour moi l'Atlantide en tant qu'historien des idées, et (2) ce que je pense des renseignements obtenus par des moyens paranormaux dans le but de construire des hypothèses archéologiques.

Au cours des années 1960 quand je réfléchissais sur l'Atlantide, je croyais encore que c'était une interprétation philosophique de Platon. C'est alors qu'en 1967, A. G. Galanapoulos se mit à proclamer qu'il avait trouvé l'Atlantide, non pas dans l'Atlantique mais dans la Mer d'Egée sur l'Ile de Santorini. Plus tard, il publia un livre pour expliquer sa découverte : « **Atlantis : the Truth Behind the Legend** » (1972). Peu de temps après, je pris connaissance des travaux de Cayce et, presque simultanément, j'entendis parler des trouvailles de Bimini qui semblaient conformes aux prédictions de Cayce. A la lumière de ces événements ma curiosité fut piquée. Comme plusieurs légendes, l'Atlantide ne serait-elle pas prête pour une métamorphose qui devenait de moins en moins rare dans le cheminement des idées : la légende qui se transforme en vérité archéologique. Cela s'était déjà produit au sujet de Troye, de Pompéi, des Sept Villes de Cibola en Amérique du Sud, de Puits du Sacrifice à Chichén Itzá dans le Yucatán, et des chevaliers du Roi Arthur. Parallèle à ces développements, surgissait une géologie nouvelle, en quelque sorte plus ouverte aux changements dramatiques qu'avaient subis le globe terrestre dans le passé, incluant même les théories cataclysmiques d'Immanual Velikovsky, d'autant plus que quelques-unes de ces prétentions avaient été confirmées au cours du programme aérospatial.

A moins que ceux qui sont imbus de la géologie conformiste de l'époque victorienne n'admettent que la terre fut victime de catastrophes gigantesques, l'engloutissement possible de l'Atlantide ne pouvait sortir du domaine de la fiction. Les récents voyages autour du monde du Glomar Challenger au cours desquels on sonda le lit des océans, semblent nous avoir fourni la preuve concrète de la dérive des continents et nous révélèrent aussi un événement géologique d'une très grande importance. Des sédiments au fond de la Méditerranée continnent des fossiles marins de créatures vivantes que l'on trouve habituellement au fond de l'Atlantique. Nous sommes donc en mesure d'affirmer que dans des temps très anciens, le Détroit de Gilbraltar s'entrouvrit de façon dramatique et les eaux de l'Atlantique se précipitèrent dans une vallée tropicale. A tout cela vient s'ajouter les autres découvertes de la géologie nouvelle pour donner plus d'ampleur à la possibilité géologique de l'existence de l'Atlantide. Ces développements dans le cheminement des idées m'ouvrirent de nouveaux horizons sur les grandes possibilités archéologiques de l'Atlantide.

Avant de parler de Bimini je voudrais éclaircir un autre point, c'est-à-dire pourquoi je me sers des perceptions extrasensorielles dans des projets de nature archéologique. En ma qualité d'historien des idées, j'ai étudié depuis quinze ans les phénomènes qui relèvent de l'expérience mystique traditionnelle, expérience appelée récemment « ultraconscience » par le psychiatre de Miami, le docteur Stanley R. Dean. Le Docteur Dean voit d'importantes implications médicales dans cette expérience. Il y a environ cinq ans ces recherches m'amenèrent à faire un travail sérieux en psychologie, à l'université. Je me suis concentré sur la guérison paranormale, la clairvoyance et la psychométrie. Avec l'assistance du physiologue de l'Université de Californie à Los Angeles, le docteur Thelma Moss, à partir de la guérison paranormale j'en suis venu à amorcer un projet de « Kirlian-photographie » il y a trois ans à l'Université Lamar. Tous ces travaux me sensibilisèrent suffisamment sur la validité et la nature des phénomènes paranormaux et j'en suis venu à croire que ces données pouvaient servir de base aux hypothèses sur les problèmes préhistoriques et les fouilles archéologiques. Dans certains cas, ces données se sont avérées entièrement décevantes. Dans d'autres, elles furent très fertiles. Il faut donc s'en servir avec précaution mais on ne peut les mettre de côté.

Les premiers indices qui nous suggèrent Bimini comme emplacement possible de l'Atlantide sont contenus dans deux séances d'Edgar Cayce. La première remonte en 1933 avec la déclaration suivante : « Une partie du temple de l'Atlantide pourrait encore se retrouver sous les vieux limons de la mer, près d'un endroit que l'on nomme Bimini, au large de la Floride. » Plus tard, en 1940, Cayce a prédit que dans 28 ans la portion occidentale de l'Atlantide s'élèverait : « et Poséidon sera parmi l'une des premières parties de l'Atlantide à renaître. Vous pouvez vous y attendre en soixante-huit et soixante-neuf (1968 et 1969). Le temps n'est pas très éloigné ! »

Les premières découvertes dans la région de Bimini remontent à 1956. Sous soixante pieds d'eau se dressait un groupe de colonnes de marbre. En 1958, le docteur William Bell de Marion, Caroline du Nord, trouva une colonne de six pieds à l'ouest de l'île. Ce fait fut rapporté par Robert Ferro et Michael Grumley dans « **Atlantis ; the Authobiography of a Search** » (1970). Cette colonne reposait sur une base qui ressemblait à un double engrenage circulaire et des photographies prises en 1958 montraient d'étranges émanations de lumière à la base de l'arbre. Cependant, les grandes sensations commencèrent en 1968. Un an plus tôt, l'inventeur et archéologue sousmarin Dimitri Rebikoff avait vu des airs un immense rectangle au nord d'Andros. Puis, durant l'été en 1968, Robert Brush et Trigg Adams, deux pilotes membres de l'ARE qui tentaient de vérifier les prédictions de Cayce, aperçurent ce que l'on appelle maintenant les sites du temple au nord d'Andros, tout près de Pine Cay. Il s'agit d'une structure d'environ soixante par cent pieds. Les deux pilotes annoncèrent leur constatation au docteur J. Manson Valentine, archéologue et zoologiste de Miami, et à Rebikoff. Ceux-ci se rendirent alors sur les lieux et trouvèrent des murs de trois pieds d'épaisseur, habilement taillés dans la pierre calcaire. Ils reconnurent également que le site du temple avait approximativement les mêmes dimensions que le prétendu Temple des Tortues à Uxmal, Yucatán. Brad Steiger dans son « **Atlantis Rising** » (1973), raconte que le 23 août 1968 les journaux publièrent le compte rendu du docteur Valentine au sujet du «temple », lequel gisait dans six pieds d'eau, dont deux au-dessus du lit de l'océan. A moins d'un mille de ce prétendu temple, Valentine et Rebikoff trouvèrent deux autres structures submergées et depuis ce temps un total de douze structures différentes ont été localisées sous l'eau dans la région d'Andros.

Le 2 septembre de cette même année, à la recherche de différents sites que l'on avait rapportés au large de Bimini, le docteur Valentine et ses compagnons trouvèrent deux prétendus murs qui s'élevaient à trois pieds au-dessus du fond de l'océan sur une longueur d'environ 1 800 pieds et parallèles au rivage. C'était à une courte distance de Paradise Point, au nord de l'île de Bimini. Le docteur Valentine décrivit cette découverte dans un article : « **Archaeological Enigmas of Florida and the Western Bahamas** », publié par le Musée des sciences de Miami dans le « **Muse News** » (juin 1969). Le docteur Valentine raconte qu'il vit « un plancher considérable de pierres plates en forme de rectangles et de polygones de différentes épaisseurs et dimensions et qui avaient été façonnées et disposées avec soin, selon toute évidence, pour former un dessin précis. Il était clair que ces pierres avaient été submergées pendant une très longue période de temps car les plus grosses avaient été usées sur les coins et étaient bombées comme des miches de pain géantes ou des oreillers. Quelques-unes étaient parfaitement rectangulaires et formaient parfois des carrés presque parfaits. » Au cours de cette expédition le docteur Valentine était accompagnée de son « commanditaire », William Lord et son fils Carter Lord. L'explorateur sous-marin Pino Turolla agissait comme photographe. Plus tard dans un article intitulé « **Culture Pattern Seen** » dans **Muse News** (avril 1973), le docteur Valentine annonça qu'au bout de plusieurs mois ces murs étaient recouverts de sable, mais que Rebikoff avait eu le temps de faire une mosaïque de photos à l'aide de son sous-marin Pegasus.

En février 1969, Valentine et Rebikoff s'unirent à un groupement de Cayce : **The Marine Archaeological Research Society** (MARS). A la fin de février 1969, cette expédition trouva un autre mur d'environ 300 pieds de longueur et 30 pieds de largeur. Robert Ferro et Michael Grumley en font le récit dans leur livre : « **Atlantis ; the Autobiography of a Search** » (1970). Ces derniers, ainsi que Margaret Adams, Marguerite Barbrook, le docteur Lloyd Hotchkiss et Peter Stello accompagnaient le docteur Valentine. Selon Ferro et Grumley, plus tard le 15 mars 1969, parrainé par Carter Lord, Pino Turolla plongea dans quinze à trente pieds d'eau à cet endroit de Bimini et constata que la pierre rendait un son métallique lorsqu'on la frappait. La femme de Turolla, Renée, le docteur Valentine et sa femme également, Ann, faisaient aussi partie de l'expédition.

Entre le 12 juillet et le 20 novembre de la même année, Turolla découvrit et photographia 44 piliers de trois à cinq pieds de longueur et de deux à trois pieds de diamètre. Ces derniers étaient situés à l'ouest de Bimini sous quinze pieds d'eau. Un autre compte rendu de cette plongée de Turolla, fut publié par Robert Marx (Argosy, novembre 1971), et dit que ces piliers avaient un diamètre de trois à six pieds et une longueur de trois à quatorze pieds. Quelques-uns étaient en position verticale. Ce deuxième compte rendu ajoute également qu'ils formaient un cercle parfait. Une découverte semblable de colonnes de marbre fut rapportée par Turolla à environ un mille au sud de sa découverte initiale.

D'autres recherches sur les particularités de Paradise Point au large de Bimini furent menées en 1970 par John Gifford, élève diplômé, division de la géologie marine, de l'Université de Miami. Gifford dirigeait l'entreprise qui comprenait aussi Richard Benson, professeur adjoint en technologie de science marine du **Miami-Dade Junior College** ; Nicholas Chitty, élève diplômé, division des pêcheries ; Patrick Colin, élève diplômé, division de la biologie marine ; et le docteur John E. Hall, professeur adjoint d'archéologie de l'Université de Miami. Ce groupe passa un total de dix-huit heures sous l'eau le 7 décembre 1970. En octobre 1971, John Gifford accompagné par Talbot Sahw Lindstrom, président de la **Washington, D.C., Scientific Exploration and Archaeological Society** (SEAS), mena une autre enquête. Gifford et Lindstrom organisèrent une autre expédition en avril 1972. Plus tard, Lindstrom décrivit toutes ces expéditions dans un document présenté à l'Université de la Georgie lors d'un symposium en 1973 intitulé « **Cultural Heritage** ». L'expédition de Gifford en octobre 1971 était subventionnée par la **National Geographic Society** et l'Université de Miami.

Le point saillant de l'expédition est la question suivante : Est-ce que certaines de ces ruines gisant sous l'eau au large de Paradise Point, l'Ile Bimini du Nord, les Bahamas, sont le travail de l'homme ou de la nature ? Sont-elles d'origine géologique ou archéologique ? Dans son livre : « **Beneath the Seas of the West Indies** ; les Caraïbes, les Bahamas, la Floride et les Bermudes », le docteur Hall disait ceci au sujet des expéditions dont nous avons parlées plus haut : « Notre enquête qui était parrainée par la **National Geographic Society**, nous a révélé que ces pierres constituent un phénomène naturel que l'on appelle érosion et fractionnement des rochers de littoral à l'époque du pléistocène ... nous n'avons pu trouver la moindre preuve de réalisation humaine ni une forme quelconque de construction mécanique. Par conséquent, et c'est regrettable pour ceux qui croient dans cette vieille légende, une autre théorie de l'Atlantide est rejetée. » D'autre part, le rapport de John Gifford en date du 25 février 1971, sur son étude de décembre contient cinq nouveaux éléments : (1) « Il semble peu probable que la pression sur les joints qui aurait été responsable du jointoiement ou n'ait pas eu les mêmes effets dans d'autres régions. » (2) « Il est peu probable qu'une jointure par pression se termine abruptement sur un bloc intact. » (3) Le sol de roc en dessous des blocs « ne comportait aucun indice de jointoiement ou de fractionnement. » (4) « Le type de roc dont sont faits les blocs n'a rien qui ressemble vraiment aux autres rocs que l'on trouve dans la région. » (5) « Rien ne nous donne la preuve qu'il n'y eut pas intervention humaine dans ces formations. » Plus tard, dans **The International Journal of Nautical Archaeology and Underwater Exploration** (1973), Gifford changea d'opinion et exprima l'avis que les trouvailles de Bimini n'étaient que des phénomènes naturels.

Le 1er janvier 1974 nous avons pris la mer à Galveston sur notre sloop de neuf tonnes le Makai II, en route pour la Floride et les Bahamas. Nous avions pour but de faire le plus de lumière possible et, si nous le pouvions, décider nous-mêmes si oui ou non il s'agissait d'un site archéologique ou géologique. Notre démarche était principalement une reconnaissance photographique sous l'eau et dans les airs. En même temps qu'un exercice d'entraînement cette expédition était une excursion de prospection afin de constater s'il était bon de faire d'autres recherches dans la région. Les frais de l'entreprise furent absorbés par des particuliers et j'obtins la permission de m'absenter pour un semestre, sans salaire, de l'Université Lamar pour l'occasion.

Des vents du nord dans le Golfe du Nord facilitèrent la traversée qui ne dura que sept jours et demi. Le passage à Saint Petersburg fut accompagné de vents très violents qui durèrent 24 heures et de vagues qui atteignirent seize pieds. A Miami, deux personnes nous furent particulièrement utiles. F.G. Walton Smith, doyen de l'école de Marine et de Science atmosphérique à l'Université de Miami, fit le nécessaire pour que nous obtenions le rapport rédigé en décembre par John A. Gifford. Le docteur J. Manson Valentine, celui qui avait découvert l'emplacement des pavés submergés de Bimini, nous fut également très précieux. Il passa des heures avec nous à préparer des cartes et à nous montrer des diapositives sous-marines et aériennes de la région.

Le docteur Valentine et Charles Berlitz écrirent deux livres en collaboration : « **Mysteries from Forgotten Worlds** » (1972) et « **The Bermuda Triangle** » (1974). Le docteur Valentine, zoologiste et archéologue de Yale, a fait des découvertes dans le Pacifique et au Mexique. Au cours des quinze dernières années il a exploré les Grandes Bahamas du haut des airs et sous la mer. Il avait trouvé plus de trente emplacements et il en marqua plusieurs sur nos cartes pendant que nous étions à Miami. La découverte la plus impressionnante qu'il nous montra fut celle d'une petite ville submergée de peut-être quatre ou cinq âcres. Elle se trouve à l'extrémité sud des Bancs, et du haut des airs elle ressemble aux anciennes cités de terre dans les plaines côtières du Pérou. Le docteur Valentine commença à prendre des photographies aériennes dans les Bahamas en 1958.

Bien munis de renseignements grâce au docteur Valentine, nous proposons de nous concentrer sur deux emplacements dans la région de Bimini : le prétendu « **Bimini Road** » juste au large de Paradise Point ; et, à l'est de Bimini-Nord, une région sous-marine de forme triangulaire qui donne l'impression que c'était peut-être jadis un ancien réservoir.

Au bout de cinq semaines de plongées et de photographies dans l'air et sous la mer, et de sondages au-dessus de l'emplacement du « **Bimini Road** », il devint évident pour nous que le prétendu chemin de Bimini non seulement relève de l'archéologie mais vaut aussi la peine d'être examiné de plus près et en détail. Voici pourquoi nous avons décidé que c'était un site archéologique : (1) Il se prolonge sur une ligne très droite d'approximativement 1 800 pieds. C'est comme une immense lettre J dont la queue serait recourbée vers la plage. Cette dernière section contient deux rangs parallèles de pierre d'environ 300 pieds de long. (2) Les blocs sont alternativement de formes carrée et rectangulaire. (3) Les blocs ne sont pas d'égales épaisseurs. (4) Les blocs ne sont pas attachés au lit de la mer. (5) Les blocs sont faits de micrite, et non pas de cette pierre oolithique qui est plus fragile et commune sur les plages de Bahamas. (6) D'après les cartes que nous avons établies, le chemin n'est pas exactement parrallèle à la plage, mais s'en éloigne plutôt d'environ sept degrés. Rebikoff avait trouvé que la différence était de quatorze degrés. (7) Les rangs de pierres à l'est et à l'ouest, séparés par à peu près cinquante verges et qui forment la section de 300 pieds, étaient tous deux à la même profondeur ; c'est-à-dire qu'il n'y avait pas de déclinaison. Les rochers du littoral dans cette région vont en descendant.

Après être rentrés aux États-Unis, en consultant l'une des photos aériennes que nous avions prises au cours de notre dernier vol, nous avons découvert des traces d'une structure sous-marine au large de l'emplacement du chemin de Bimini dont la longueur est de 1 100 pieds. Il s'agit peut-être des colonnes en cercle dont parlait Pino Turolla.

A l'est de Bimini se trouve une région en forme de triangle dont les eaux sont plus profondes et dont la superficie pourrait atteindre plusieurs centaines d'âcres. Le docteur Valentine l'avait déjà observée du haut des airs. Nos photographies aériennes révèlent un mouvement hydraulique dû aux courants de la marée qui sont dis-

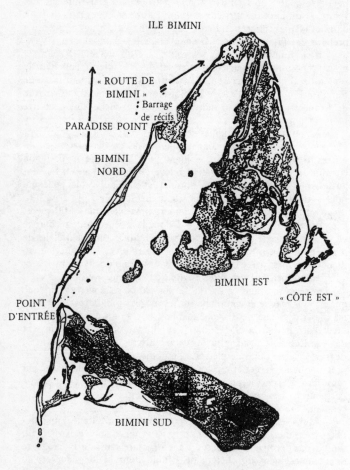

ILE BIMINI

« ROUTE DE
BIMINI »

Barrage
de récifs

PARADISE POINT

BIMINI
NORD

BIMINI EST

« CÔTÉ EST »

POINT
D'ENTRÉE

BIMINI SUD

Illustration 1

persés par ce qui semble être une digue recouverte de sable. De plus, l'existence de cette « digue » est rendue évidente par l'arrangement des herbes marines.

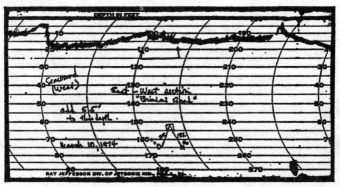

Illustration 2

A l'ancre près de cet emplacement, un clairvoyant qui se trouvait à bord du Makai II reçut ce message : « L'Atlantide repose au-dessous de vous. Nul autre que le temps ne permettra de découvrir ses reliques. Néanmoins, il y a quelque chose à faire maintenant à l'est de l'île. Explorez l'aqueduc qui s'y trouve ; le côté droit de l'aqueduc, près du rebord. » (11 février 1974). Personnellement, j'ai eu plus tard l'image clairvoyante d'un trou de puits entouré de pierres, situé à l'est de la « digue » et dont le diamètre était de douze pieds. Plus tard encore, de retour à Miami, le docteur Valentine nous raconta que la psychiste Irene Hughes lui avait décrit ce site comme étant un réservoir. Le docteur Valentine avait sondé jusqu'à cinq pieds sous les herbes marines aux environs de la digue, avant notre visite.

En juin 1974, à Virginia Beach, alors que je me trouvais avec Hugh Lynn, Edgar Evans et Gail Cayce, nous avons vu la photographie d'un puits découvert longtemps auparavant sur la rive est de Bimini-Nord.

Alors que nous étions encore sur le site de Bimini Nord, nous nous sommes servis d'un petit compresseur flottant pour opérer un monte-charge. Nous avons sondé jusqu'à neuf pieds sous et à travers le sable. C'était en eau très peu profonde, et par conséquent le monte-charge était lent et sans efficacité. Nous travaillions parmi les herbes marines de la « digue ». Nous n'avons pas trouvé de pierres à cette profondeur. Nous avons depuis lors imaginé une méthode plus

73

simple de sonder à au moins trente pieds. Dès notre retour, nous avons l'intention de continuer nos fouilles afin de nous rendre compte s'il existe vraiment une structure de pierres qui semble exercer une certaine influence sur la disposition et la croissance des herbes marines.

Les emplacements sur lesquels nous nous sommes concentrés nous promettent en fin de compte, d'avoir une grande signification. Cependant, nous en sommes encore au stade où il nous faut accumuler encore plus d'évidence pour convaincre les milieux archéologiques que Bimini recèle vraiment les vestiges d'une ancienne culture. Scientifiquement, il est encore trop tôt pour pouvoir identifier cette culture. Cependant, ceux qui ont visionné nos diapositives de la région de Bimini admettent que ces sites ne sont pas des accidents de la nature.

II

LES PARTIES
DE
L'ÉNIGME

TROIS INTERPRÉTATIONS
DE LA DISPARITION
DU USS CYCLOPS

Commentant la disparition du USS Cyclops, le président Woodrow Wilson a dit : « Seulement Dieu et la mer savent ce qui est arrivé à ce grand vaisseau. » La marine des États-Unis déclara que c'était « un des mystères les plus déconcertants » de son histoire car toute les tentatives de retrouver le navire étaient demeurées sans succès et aucune théorie ne peut « expliquer sa disparition de façon satisfaisante. »

Le mystère du Cyclops se produisit durant la première Grande Guerre, et la marine ne put entreprendre une enquête immédiate et complète. Par conséquent, c'est l'un des exemples les plus frappants des catastrophes maritimes inexpliquées de la région du Triangle des Bermudes. Les trois évaluations distinctes que nous présentons dans les pages qui suivent font la lumière de directions différentes afin de procurer au lecteur un point de vue objectif sur cet événement unique dans les annales de la marine du vingtième siècle.

7. LE MYSTÈRE DU CYCLOPS

par Conrad A. Nervig

Ceux qui racontent le mystère du Triangle des Bermudes reviennent sans cesse sur la disparition du USS Cyclops au cours de la première guerre mondiale. Le cas a été étudié et analysé à tel point que dans plusieurs publications il a pris les caractéristiques d'une légende. Cependant, monsieur Nervig dont la version apparaît pour la première fois dans les procès-verbaux du *U.S. Naval Institute*, possède une expérience et un passé qui lui évitent la tentation de verser dans la légende ou la mythologie moderne. Il est à noter qu'il dit que le bateau a été vu pour la dernière fois dans le port de Bahia, Brésil, alors que d'autres ont affirmé l'avoir vu plus tard à la Barbade.

Le 21 février 1918, le USS Cyclops entra dans le port de Bahia, Brésil, ramassa le courrier des autres vaisseaux qui y étaient ancrés et reprit la mer, à 18 heures, en route pour Baltimore, Maryland. Le Cyclops ne fut jamais revu par la suite. Il n'arriva jamais à destination et ne laissa aucune trace. Son nom vint donc s'ajouter aux autres mystères de la mer.

J'ai servi sur ce bateau en qualité d'officier de quart au cours d'un voyage à partir de son port d'attache à Norfolk, Virginie, jusqu'à Rio de Janeiro. Je fus alors muté et l'on m'ordonna de me joindre au USS Glacier. Le Cyclops disparut au cours de la traversée qui devait le ramener aux États-Unis.

Dans les années qui se sont écoulées depuis cet événement, plusieurs théories ont été mises de l'avant pour expliquer la cause probable de cette catastrophe, mais aucune selon moi ne s'approche de la vérité.

Je suis poussé par un désir de faire connaître une quantité de faits et d'incidents que j'ai vus, et j'écris ceci dans le but d'éclaircir le sujet. Quelques-uns de ces faits et incidents pourraient paraître sans conséquence, mais ils ont peut-être malgré tout joué un rôle dans la disparition du Cyclops. Pour la compilation de cet exposé, j'ai dû m'en remettre entièrement à ma mémoire et à quelques phrases concises d'un journal qui ne contient que des dates, des noms de ports et des manoeuvres maritimes. Le déroulement des événements au jour le jour était raconté avec plus de détail dans les lettres à ma femme, mais ces lettres étaient dans le courrier sur le Cyclops quand il disparut.

Le USS Cyclops était un vaisseau auxiliaire de la marine du

dernier modèle. Équipé de deux hélices, il avait été conçu et construit pour servir de charbonnier. Il était dirigé par le Capitaine de frégate George W. Worley, **U.S. Naval Reserve Force**.

Le capitaine Worley était un marin bourru et excentrique de la vieille école. Il aimait se promener, canne à la main, mais c'était un homme de peu d'instruction. Il était un médiocre marin ainsi qu'un navigateur sans talent et trop craintif. Peu amical et taciturne, il était généralement détesté de ses officiers et ses hommes.

Avant que les États-Unis ne participent à la première guerre mondiale, le capitaine Worley était membre des services auxiliaires de la Marine. Dans cette organisation hétérogène, les navires étaient au service de la marine et recevaient leurs ordres du Bureau des opérations. Faisaient partie de ces services les charbonniers, les cargos, les bâtiments réfrigérés, et les navires-hôpital ; le nom le dit, ils étaient auxiliaires de la flotte. Le personnel était constitué de civils sous la juridiction du Ministère de la marine. En 1917, peu après que la guerre fut déclarée, les bateaux du service auxiliaire furent incorporés à la Marine et leurs officiers devinrent membres des forces de réserve américaines.

Le Cyclops quitta les chantiers navals de Norfolk, Virginie, le 8 janvier 1918, chargé jusqu'à la ligne de flottaison de charbon, de courrier et d'articles divers destinés à la **South American Patrol Fleet** qui naviguait sur la côte est de l'Amérique du Sud. Le jour était nuageux et froid. Il tombait une neige légère. Depuis quelque temps, le port était complètement gelé. Des permissionnaires retournaient à leurs bateaux en marchant sur la glace. Dans le chenal, le Cyclops évita de justesse une collision avec le USS Survey qui partait vers la Méditerranée à la chasse aux sous-marins. C'était le premier d'une quantité d'incidents insolites qui devaient arriver au Cyclops au cours de ce dernier voyage. À la tombée de la nuit, il était au large de Virginia Capes et naviguait vers le sud contre les intempéries de l'hiver avec une vitesse et une facilité étonnantes pour un bateau qui transportait un tel fardeau.

A 20 heures environ, alors que j'avançais à tâtons pour remplacer l'officier de veille, je fus surpris d'entendre un son qui ressemblait à celui que feraient deux plaques de métal que l'on frotte ensemble. Après enquête, je découvris que c'était le cas. Le bateau travaillait à tel point que l'on pouvait voir distinctement le mouvement des tuyaux d'eau et de vapeur dans leurs supports de fer et là où ils touchaient la coque. Plus tard, à la lumière du jour, le mouvement était encore plus perceptible car le milieu du pont semblait monter et descendre comme si le bateau épousait la forme des vagues. Lorsque je fis part de mes observations au Capitaine, il haussa les épaules en me disant d'un air supérieur : « Mon gars, le bateau durera aussi longtemps que nous. » En effet, c'est un peu ce qui arriva.

Le cinquième jour, le Capitaine fit mettre son second, le lieutenant Forbes, aux arrêts de rigueur à la suite d'un banal malentendu. Il paraît que de tels incidents n'étaient pas rares sur tous les bateaux commandés par le Capitaine Worley.

Le soir de ce même jour, l'enseigne Cain, officier de veille qui semblait en excellente santé fut porté malade par le médecin du bord et dû prendre le lit. On était d'avis au carré des officiers que ceci avait été fait dans le but d'éviter que monsieur Cain ne devienne la proie des persécutions du Capitaine. Si j'ai bonne mémoire, le médecin ne fit jamais de commentaires à ce sujet et ne fut jamais interrogé. Son geste et ses motifs furent acceptés, sans plus.

A cette époque, monsieur Cain avait le quart de minuit à quatre heures et j'ai cru de mon devoir de le remplacer. Je ne me souviens pas que cette tâche ne m'ai rendu malheureux. J'étais soulagé quand je prenais mon quart sur le pont, seul avec la pleine lune, dans l'air embaumé des tropiques. C'était un calmant agréable après l'atmosphère du carré. C'est pendant ces heures de service que j'en vins à bien connaître le Commandant Worley.

Directement sous la passerelle, du côté de tribord, se trouvait la petite cabine du Capitaine. Je venais à peine de commencer mon quart de minuit quand j'éprouvai une certaine surprise de le voir grimper l'échelle de tribord vêtu de ses sous-vêtements, coiffé de son melon et canne à la main. Je me creusais la mémoire pour trouver ce que j'avais bien pu faire de mal ou omis de faire. Il ne m'offrit aucune excuse pour son accoutrement et n'en parla même pas. Dans les meilleures formes militaires, je le saluai et lui dis : « Bonjour mon Capitaine. » Il se montra charmant et toutes mes craintes s'envolèrent aussitôt car je constatai que sa visite n'avait rien d'officiel et qu'il voulait simplement causer avec moi.

Il resta environ deux heures. Penché sur le bastingage, il parlait de sa famille et me racontait des histoires sur sa longue carrière de marin. Il possédait un grand répertoire d'anecdotes dont la plupart étaient humoristiques. Ses visites nocturnes devinrent une routine et je dois avouer qu'elles me plaisaient. Son costume, si je peux l'appeler ainsi, fut toujours le même qu'à la première occasion. Je me suis souvent demandé pourquoi il me rendait visite. Etait-ce parce qu'il m'appréciait ou à cause de son insomnie ? J'étais sûr qu'il éprouvait de l'amitié pour moi car, à Rio de Janeiro, quand je reçus l'ordre de quitter le Cyclops, il chercha à obtenir que je reste à son bord. A ma grande satisfaction, il n'y parvint pas.

La douzième journée, nous pouvions voir la côte de l'Amérique du Sud. Nous étions au large de Pernambuco, à vingt milles de distance environ. Le capitaine changea immédiatement de cours afin de nous conduire plus au large. Le 22 janvier 1918, nous jetâmes l'ancre près de la ville de Bahia après avoir manqué l'entrée du port par 48 milles. Si la nuit avait été trois heures plus longue, notre bateau aurait échoué dans l'obscurité. Le navigateur avait protesté devant les erreurs du Capitaine, mais ce dernier l'avait brusquement repoussé.

Rendu dans ce port, nous avons fait charbonné et ravitaillé ce grand vétéran de la Baie de Manille, le USS Raleigh. Puis, voulant s'en éloigner, le Cyclops l'érafla deux fois mais ne lui causa heureusement que de légers dommages.

En route vers Rio de Janeiro, au sud, la soupape de la chaudière de tribord sauta. Le voyage dut se faire avec une seule machine. A Rio, ce qui restait de la cargaison fut distribué entre les vaisseaux de la **South American Patrol Fleet** qui étaient à l'ancre. C'est alors que je fus muté sur le ravitailleur Glacier, grandement soulagé que ma tournée de service sur le Cyclops soit enfin terminée et que nul incident fâcheux ne me soit arrivé.

Pour le voyage de retour, le Cyclops se prépara à charger du minerai de manganèse. C'est durant cette période que se produisit l'accident le plus tragique. Une des chaloupes du navire, en l'occurence un canot à moteur ayant un marin à bord, était suspendu à la corne d'artimon quand une des machines se mit à tourner. L'hélice attrapa la chaloupe et le marin, blessé, se noya. Je crois que le Capitaine était entièrement responsable de cette négligence car sa façon erratique de commander avait grandement démoralisé et désorganisé les officiers et les hommes du Cyclops.

Le 15 février, le Glacier se mit en route et quitta le port derrière un bateau-pilote brésilien qui le guidait à traverser les mines.

Extrait de mon journal:

21 février 1918, Bahia, Brésil. Le USS Cyclops s'approcha venant du nord. Il ramassa le courrier et mit le cap à 18 heures vers Baltimore.

Or, Bahia est au nord de Rio de Janeiro. Le Cyclops aurait dû s'approcher venant du sud. Voilà un autre exemple des méthodes de navigation pratiquées par ce navire.

Durant son court séjour à Bahia, mon meilleur ami Carrol G. Page, comptable du Cyclops, monta à bord du Glacier pour remplir quelques formulaires. Il était le petit-fils du sénateur Page, président de la Commission de la Marine, au Sénat. A son départ, en tant qu'officier de quart, je l'accompagnai jusqu'à la coupée. En me quittant, il me saisit la main dans les siennes et me dit d'un air très solennel : « Eh bien ! Au revoir mon vieux. Dieu te bénisse. » Je fus très impressionné de son ton grave qui s'avéra vraiment prophétique.

Quand le Cyclops leva l'ancre, ce soir-là, c'était son dernier départ. Je ne l'ai jamais revu.

On a avancé plusieurs théories sur la cause de la catastrophe dont fut victime le Cyclops. Permettez-moi de dresser la liste de celles que l'on a décrites comme les plus plausibles ; ensuite, je vous décrirai celle qui, j'en suis convaincu, est la seule véritable.

(1) **Les tempêtes.** Intuile d'insister. Il n'y a pas eu de tempête assez violente au moment de sa disparition.

(2) **Il a été torpillé.** Cette théorie aussi est boîteuse. Il est fort peu probable que tous les membres de l'équipage aient péri. Le bateau naviguait assez près de la côte pour qu'il soit relativement facile de l'atteindre en toute sécurité dans une chaloupe de sauvetage. Quand les sous-marins attaquaient dans l'Atlantique, il n'était pas rare de voir les débris des bateaux coulés. On n'a jamais retrouvé la moindre parcelle de l'épave du Cyclops. Lorsque je servais sur un convoyeur, j'ai vu deux chaloupes de sauvetage abandonnées qui affichaient clairement le nom de leur bateau. A la lumière de ces constatations, j'ai la ferme conviction que le Cyclops coula avec toutes ses chaloupes bien en place dans leur berceau ou à leurs bossoirs. En outre, après la guerre les autorités allemandes ont déclaré qu'il n'y avait aucun de leurs sous-marins dans cette région à l'époque qui nous concerne.

(3) **Sa charge se déplaça ; il roula sur ses baux, se remplit d'eau et coula.** A mon avis, ceci est impossible. A cause de sa forme et de son poids, le minerai de manganèse ne bougeait que très peu ou pas du tout.

(4) **Il se brisa en deux.** C'est la théorie que je suis forcé d'accepter à cause de l'évidence.
Souvenons-nous que le Cyclops chargea de minerai de manganèse ; nous ignorons comment se fit l'arrimage. Il n'y avait qu'un officier à bord ayant l'expérience de ce genre de cargaison, le second officier, mais il était toujours aux arrêts de rigueur. Pour diriger le chargement, il est très probable qu'un jeune enseigne sans grande expérience fut désigné.
Le minerai de manganèse a une forte densité et les soutes étaient loin d'êtres pleines quand la coque finit par s'enfoncer jusqu'à la ligne de flottaison. Or, si tout ce poids était concentré dans deux ou trois soutes seulement, et que ces soutes se trouvaient dans la section du milieu, la faiblesse inhérente au vaisseau s'en trouvait grandement augmentée. Pour un bon arrimage, il aurait fallu répartir la

charge dans plusieurs soutes sur presque toute la longueeur du bateau.

Imaginons que la tension fit que le bateau se brisa en deux, probablement juste en avant des machines et des chaudières. L'entrée soudaine de l'eau et le poids de la charge poussa les deux sections à prendre la position verticale en s'enfonçant de plus en plus. Pendant ce temps, les soutes s'emplirent et coulèrent à pic emportant tout avec elles. Il n'aura fallu que quelques minutes et c'est ce qui expliquerait pourquoi il n'y eut pas de signal de détresse ni de chaloupes de sauvetage à la mer.

Je me souviens qu'il n'y avait que très peu d'objets sur le pont du Cyclops pouvant flotter et supporter un homme. Je ne suis pas certain qu'un survivant du naufrage aurait pu s'agripper à l'un de ces objets et, l'eut-il fait, il n'aurait que retardé l'échéance.

De tous les officiers et marins qui perdirent la vie dans ce désastre, il n'y en avait que trois qui n'avaient pas grand-chose à perdre : les trois prisonniers trouvés coupables par le Conseil de guerre et condamnés à des peines d'emprisonnement de 50 à 99 ans pour le meurtre horrible d'un de leurs compagnons. Ces assassins moururent sans doute dans leurs cellules fermées à clef, quand le bateau coula avec tous ses secrets.

8. LE CYCLOPS A-T-Il CHAVIRÉ ?

par Mahlon S. Tisdale

Dans cette anthologie, la contribution précédente sur « Le Mystère du Cyclops » nous apporta le point de vue d'un observateur que l'affaire touche de très près. Maintenant, le lieutenant de vaisseau Tisdale nous offre une analyse audacieuse des conditions, risques et possibilités de catastrophe qui ne pouvaient s'appliquer qu'au Cyclops. Cet exposé fut publié pour la première fois dans « *U.S. Naval Institute Proceedings in 1920* », peu de temps après la disparition du Cyclops. Son caractère immédiat et son rapprochement des faits ne peuvent être égalés par les récits qui furent écrits à des dates ultérieures.

Bien que la disparition du USS Cyclops soit en bonne voie de devenir l'un des mystères de la guerre, plusieurs théories ont été avancées dans les discussions au carré des officiers et l'opinion générale veut qu'il ait chaviré. Il me semble que l'on en arrive toujours à cette déduction parce que les autres ne sont pas soutenables, même si la conversation se termine par un : « Quelque chose aurait sûrement flotté. » Autrement dit, bon nombre d'officiers croient qu'il a chaviré, mais peu d'entre eux sont en mesure de justifier leur opinion.

Par un singulier concours de circonstances, j'ai vécu moi-même un incident qui, selon moi, donne un peu plus de poids à la théorie du chavirement.

En décembre 1914, je fus muté sur le USS Neptune comme complément de personnel. Durant les premiers mois qui suivirent mon arrivée, nous avions beaucoup de difficultés à garder le bateau sans différence de calaison, même au dock. Il était équipé d'une quille double munie de cloisons qui permettaient à l'eau de passer d'un côté à l'autre s'il y avait du roulis ou si le bateau donnait de la bande. Sous le pont principal, tout le long du bastingage se trouvaient des « réservoirs ouverts ». Ces réservoirs étaient en abord et s'étendaient par le travers depuis les soutes à charbon et traversaient l'enveloppe extérieure. Leur fond incliné descendait quelque huit pieds, et ils étaient situés de chaque côté du bateau, à partir de la passerelle avant jusqu'à la poupe. De chaque côté du bateau également, dans la partie du pont non recouverte, il y avait une série de couvercles de trous-d'homme qui donnaient accès aux réservoirs. Ces couvercles ressemblaient plutôt aux plaques de cuivre circulaires qui bouchent les soutes des cuirassés. Le dessous du Neptune était plat et à double fond sur toute la longueur. Ainsi, ces réservoirs étaient bien au-dessus de la quille et ne se prolongeaient que sur un tiers de la distance entre le carreau et la ligne du centre. Il était donc possible d'obtenir beaucoup de tirant en remplissant ces réservoirs ; et si le bateau donnait un peu de la bande à cause d'un surplus d'eau dans les réservoirs d'un même côté, la situation avait vite fait de s'aggraver considérablement à cause de l'eau qui se précipitait vers le même côté au fond du bateau, si les espaces n'étaient pas tous déjà pleins, naturellement.

Puisque la structure du Cyclops était semblable à celle du Neptune il est logique de croire que les conditions d'arrimage qui prévalaient sur l'un étaient les mêmes que sur l'autre. J'ai vu le Neptune rouler de dix degrés sans raisons apparentes. Si, à ce moment, quelque chose accentue le mouvement, comme par exemple le remplissage des réservoirs du côté le plus bas, n'est-il pas parfaitement plausible d'imaginer que le bateau ait pu donner de la bande au point de chavirer ?

Quand il était chargé à pleine capacité de 10 500 tonnes de charbon, le Neptune avait un tirant d'eau de quelque 19 600 tonnes.

Le rapport entre la charge et le déplacement total nous donne une idée de ce que pouvait être l'accastillage lorsque le bateau était complètement vide. La hauteur de cet accastillage était si considérable que malgré les forts ballottements du navire il était rare que l'eau atteigne le pont principal plus loin que le gaillard d'avant quand le bateau n'était pas trop chargé.

J'ai pu en faire l'expérience sur le Cyclops.

A l'automne de 1916, alors que je servais sur le USS Pennsylvania, je reçus pour mission de faire un voyage de dix jours sur le Cyclops en qualité d'officier de transmission à l'occasion des manoeuvres annuelles. Nous avons levé l'ancre à Newport et suivi le bâtiment commandant, le Vestal, ainsi que deux ou trois autres charbonniers qui représentaient avec nous la flotte « noire » ou la flotte « rouge ». Je ne suis plus trop certain de quelle teinte de l'arc-en-ciel on avait surnommé ce combat. Nous filions vers le rendez-vous qui devait être le point de départ de notre attaque sur les États-Unis. Chaque membre de notre « flotte » touait un cuirassé afin d'économiser le carburant jusqu'au premier jour de la bataille.

Dans l'après-midi du deuxième jour le vent s'éleva. Un par un les câbles de remorque se rompirent. Le Capitaine Worley, Commandant (USNAS) du Cyclops, donna à notre remorque le Conyngham, autant de câble que possible. Pour sa part le Conyngham s'avança quelque peu par ses propres moyens afin de diminuer la tension et nous avons réussi à le garder en remorque jusqu'à ce que tous les autres charbonniers aient rompu leurs câbles ; finalement, le nôtre fit de même et les cuirassés durent poursuivre leur route sans notre assistance car la mer était trop tumultueuse pour nous permettre d'attacher d'autres câbles. Seul le Vestal garda sa remorque et je crois qu'il était muni de machines à touage.

Le Cyclops ne transportait que 1 000 tonnes de charbon bien arrimées dans toutes ses soutes et voguait allègrement bien au-dessus de l'eau. Le vent s'était mis à souffler en tempête et la mer était très mauvaise. Les cuirassés étaient soumis à de forts coups de roulis et il ne semblait pas possible que tous puissent compléter le trajet en sécurité. Les conditions s'aggravèrent dans l'après-midi du troisième jour. Le capitaine me demanda de rester sur la passerelle pendant que lui-même irait prendre son repas du soir. Quand il revint dans la soirée, je me dirigeai avec grande peine vers l'arrière, je m'accrochai à une épontille que j'avais adoptée comme la mienne, avalai un sandwich ou deux en toute vitesse, emplis mes poches d'oranges car la nuit s'annonçait très longue, et je retournai sur la passerelle.

De chaque côté de ces charbonniers, en abord des écoutilles, se trouvaient les conduites de vapeur pour les treuils et les autres appareils auxiliaires qui se trouvaient à l'avant. Ces tuyaux sont enveloppés d'une légère feuille de métal et la couverture est ondulée comme le sont les parquets de chaufferie. Ceci sert de passage depuis le gaillard d'avant jusqu'à la poupe. Les hommes l'appellent la « piste à bicyclette » pour la seule raison, je suppose, que nul ne pourrait s'en servir pour se promener à bicyclette.

Comme d'habitude, en quittant le carré je m'engageai sur la piste à bicyclette pour retourner sur la passerelle, mais lorsque j'arrivai au niveau du trou-d'homme qui correspondait aux réservoirs de tribord, je fus projeté hors de la piste, sur le pont principal. Il y avait des lignes de sauvetage pour nous aider à avancer ou reculer, mais le bateau fit une embardée et je perdis prise. Je glissai jusqu'au trou-d'homme dont je viens de parler et je constatai immédiatement que le couvercle était mal assujetti. Je le remis en place du mieux que je pus avec une seule main car je transportais dans l'autre un manuel de communication. Du bout d'un doigt je remis la vis en place tout en me réjouissant d'avoir appris durant mon service sur le Neptune l'importance de toujours garder ces couvercles bien en place. Je poursuivis ma route vers l'avant et je m'aperçus avec grand étonnement que l'autre couvercle aussi n'était pas en place. Après enquête, je me rendis compte qu'il en était de même pour toutes les plaques. Il était impossible de faire tout ce travail avec une seule main et je me rendis immédiatement jusqu'à la passerelle pour annoncer au capitaine que quelqu'un avait ouvert tous les réservoirs. Il pouffa de rire devant mon ton sérieux et me dit qu'il en était toujours ainsi selon les directives du chantier naval (je ne mentionnerai pas le nom du chantier car je n'ai jamais eu l'occasion de voir de telles directives durant mon service sur les charbonniers). Selon ces prétendues directives l'air était bon pour les matières bitumineuses. Le maître à bord ne se souciait nullement des réservoirs. Nous galopions sur cette bonne vieille mer comme un poulin nerveux, mais, en vérité, les lames n'atteignaient pas le pont principal. Comme je le disais plus haut, notre charge était minime et notre accastillage élevé. Le capitaine avait d'autres inquiétudes. Il y avait tellement peu de charbon dans les soutes, sans étais pour le garder en place, qu'il n'était pas impossible que la charge se déplace.

Au clinomètre cette nuit-là je pouvais lire 48 degrés à bâbord et 56 degrés à tribord. Je demanderais aux cuirassés de tenir compte des dimensions du bateau avant de faire des comparaisons désavantageuses. Nous avons donc la preuve que ces vaisseaux sont sujets au roulis. Malgré ce roulis notre bateau était à l'abri du rejaillissement des vagues grâce à son gaillard d'avant. J'ai vu le Neptune, alors qu'il était chargé à plein, embarquer l'eau sur le coffre et se voir dépouiller des protecteurs de la piste à bicyclette. Il dut se mettre à la cape afin d'exécuter les réparations.

Voyons maintenant le cas du Cyclops lors de son voyage fatidique de l'an passé quand il disparut. D'après les renseignements transmis par les journaux, il transportait alors du minerai de manganèse. Ce minerai est extrêmement plus lourd que le charbon et il est probable que l'on se basa sur le poids plutôt que sur le volume pour faire le chargement des soutes. Donc il était loin d'être plein. La cargaison était peut-être étayée pour l'empêcher de se déplacer, mais il aurait fallu des étais beaucoup plus solides que pouvait en installer le menuisier de bord. A moins qu'ils aient été installés au quai de chargement, les chances sont qu'ils ne le furent jamais. Maintenant, rassemblons tous ces faits.

Le bateau était lourdement chargé. Il était profondément enfoncé dans l'eau et son accastillage était, par le fait même, peu élevé. Cependant, les soutes n'étaient pas remplies si nous parlons de volume.

Les couvercles des trous-d'homme n'étaient pas en place comme c'était la coutume d'après ce que m'avait dit le capitaine. Quand il disparut il était commandé par le même homme sous les ordres duquel j'avais servi auparavant.

A cause de sa charge, les conduits des réservoirs étaient probablement submergés. Ces conduits étaient situés dans l'enveloppe du vaisseau et menaient au fond des réservoirs.

Dans tous les genres de tempêtes, c'était la coutume sur les charbonniers d'attacher tout ce qui pouvait bouger. Ceci était rendu nécessaire à cause de leur agilité et de leur imposante superstructure. J'ai même vu les énormes doubles blocs de fer qui sont enchaînés à l'ossature d'avant et d'arrière, attachés ensemble pour empêcher le martellement.

N'est-il pas plausible de croire que la cargaison s'est déplacée, juste un peu peut-être, mais assez pour augmenter l'inclinaison et forcer l'eau qui se trouvait dans le double fond à se précipiter vers le côté le plus bas ce qui fit pencher le navire encore plus ? Supposons maintenant que le Cyclops trop surchargé embarque de l'eau. Est-ce que cette eau ne s'engagera pas dans les trous-d'homme forçant ainsi le vaisseau à chavirer immédiatement ?

Ceci ne prendrait que quelques secondes et le bateau se retrouverait quille en l'air sans que quiconque n'ait eu le temps de l'abandonner. Quelques hommes sur la passerelle et sur la poupe ont sans doute été projetés dans la mer. Mais puisque tout est attaché solidement, il n'y a que très peu de débris. Souvenez-vous qu'il n'y aurait rien à la dérive sauf quelques articles aptes à flotter qui se seraient dégagés dans les quelques secondes que dura le chavirement. Il n'y aurait pas de débris comme ceux que l'on rencontre toujours à la suite d'un naufrage imputable à des causes différentes : mines ou torpilles par exemple. Il n'y aurait pas eu assez de temps pour lancer un SOS. Il n'y aurait pas eu assez de temps pour faire quoi que ce soit. Les quelques hommes à la mer n'auraient pu survivre long-temps. Les quelques menus articles à la dérive se seraient dispersés sur la mer immense bien avant que les navires de sauvetage commen-cent leurs recherches.

Ce qui précède me semble l'explication logique de la disparition du Cyclops. Evidemment, ce n'est qu'une théorie basée sur plusieurs suppositions dont quelques-unes sont peut-être fautives. Comme l'af-firmaient plusieurs officiers : « Votre théorie semble la seule qui soit plausible. » J'en ai donc conclu que dans l'ensemble, les autorités pourraient en tirer profit.

9. AVANT LE CYCLOPS

Tiré du Literary Digest

Dans les deux chapitres précédents, nous avons parlé de la disparition du Cyclops à partir de points de vue supplé-mentaires. Mais comment les américains apprirent-ils la dis-parition de ce bateau, et dans quelles perspectives ? Dans les pages de cette revue maintenant défunte mais qui fut jadis très populaire : Literary Digest (8 juin 1918), nous avons trouvé cet article qui fait le rapprochement entre le Cyclops et cer-taines disparitions mystérieuses semblables qui avaient eu lieu auparavant. On y trouve, entre autres, la preuve que la confusion qui régnait sur ces disparitions de vaisseaux de guerre n'était pas un caprice de l'époque, mais remontait au moins cinquante ans en arrière.

Devrait-on inscrire le Cyclops sur la liste de bateaux qui ont « atteint » le **Port des Bâtiments disparus** ? Chaque jour, son sort devient de plus en plus mystérieux. Charbonnier moderne, étanche, muni d'un bon équipage et du meilleur équipement, sa disparition est inexplicable selon ceux qui connaissent la mer et la navigation. Si le Cyclops vient se joindre aux « disparus », il sera le premier à jeter l'ancre dans ce « port » malgré un appareil de radiotélégraphie.

Des débris vinrent jusqu'au rivage pour nous annoncer le destin du croiseur allemand Karlsruhe, mais nous attendons toujours un message du Cyclops. Le journal **Evening Sun** de New York disait :

« Plusieurs raisons nous portent à croire que nous ne connaî-trons jamais les malheurs du Cyclops. D'autres navires assez bien construits pour affronter tous les courroux de la mer ont succombé. Le Naronic en était un. C'était un gros cargo, le premier de son espèce à être muni de deux hélices. Il était fait d'acier et possédait huit cloisons qui devaient l'empêcher de couler.

« Jamais on ne découvrit ce qui est advenu du Naronic. Il était parti de Liverpool. Les jours passèrent et des points d'interrogation furent transmis d'un travers à l'autre de l'océan par ceux qui s'inquiétaient de son retard. Finalement, quelques semaines plus tard, on retrouva une chaloupe de sauvetage renversée. Sur sa poupe était écrit le mot Naronic. C'était tout. Comment, quand et à quel endroit arriva-t-il au **Port des Bâtiments disparus** ? Nul ne le sait, mais c'est là qu'il repose. Il était équipé pour franchir les tempêtes et on le considérait comme 'le plus gros, le plus sûr, le plus rapide navire' de son époque. Pourtant la mer s'en empara.

« Récemment, peu de paquebots ont disparu. Par contre, au temps des voiliers et des vapeurs à roue, un bon nombre de gros bateaux bondés de passagers ont été engloutis, victimes peut-être de récifs non portés sur la carte, de vents violents, d'un raz de marée, ou d'un incendie. L'un d'eux fut le City of Glasgow. Il quitta l'Angleterre en 1854 avec 480 passagers dont la plupart émigraient à Castle Garden. Il disparut sans laisser de traces.

« Deux ans plus tard, le Pacific de la ligne Collins quittait New York pour traverser en Europe. Il avait 186 passagers à son bord. Après sa disparition, d'autres bateaux le recherchèrent pendant des mois, mais en vain. En ce temps-là, les voies maritimes n'étaient pas définies et il était impossible de savoir où concentrer les recherches.

« D'autres bateaux sont disparus, mais ils ont laissé des indices précis sur ce qu'il leur arriva. Par exemple, selon l'opinion générale, le President fit naufrage dans une tempête au large de la Nouvelle-Angleterre. En effet, le Coventry l'avait aperçu qui bourlinguait aux prises avec les vents violents.

« Le President partit de New York le 11 mars 1841. Parmi ses passagers se trouvait Tyrone Power, l'acteur irlandais. Il était commandé par le capitaine Roberts. Deux mois plus tard une bouteille fut trouvée sur le rivage à Cape Cod. A l'intérieur on trouva ce message énigmatique : 'le President a coulé dans la tempête.'

« En 1870, le City of Boston quitta Liverpool avec deux cents passagers et ne revint jamais. On a cru qu'il avait péri dans une violente tempête quelques jours après avoir lever l'ancre. Des morceaux d'épaves portant son nom ont été vus sur l'océan quelques mois plus tard. Il en fut de même du Portland qui laissa le port de Boston à l'automne de 1898, en route vers Portland. Il y avait une tempête de neige ce soir-là et, selon l'opinon générale, il chavira lorsque de fortes vagues le soulevèrent par ses roues à aubes.

« Le 28 août 1883, le Inchclutha partit de Calcutta pour se diriger vers Hull avec une cargaison de blé. Le lendemain, le Cherubini quitta Sunderland pour Gènes avec un chargement de charbon. L'on ne revit jamais ni l'un ni l'autre de ces deux bateaux. Le 8 mars 1885, le Magneta franchissait le Pas-de-Calais, plein cap sur Singapour avec une cargaison de câbles et neuf passagers. Il ne fut jamais revu par la suite. »

Il arrive que l'on retrouve un bateau abandonné sur la mer, sans explication ou sans moyens de connaître les causes de sa condition. C'est ce qui arriva au Yula Maru, steamer japonais trouvé au milieu de l'océan avec huit cadavres à bord. On ne sut jamais ce qui arriva aux autres membres de l'équipage. Le plus grand mystère est celui du Marie Celeste. L'**Evening Sun** rapportait :

« On le découvrit toutes voiles déployées faisant route vers Gibraltar. Il n'y avait aucun signe de vie sur le vaisseau et, circonstance encore plus étrange, aucun indice signifiant qu'il avait été abandonné. Tout était en ordre, les chaloupes à leurs places et les cordages bien enroulés.

« Autant qu'il était possible de savoir, il ne manquait que le chronomètre de bord quoique l'on retrouva celui du capitaine dans sa cabine. Il n'y avait rien d'inscrit dans le journal de navigation au sujet d'une tempête, de maladie, d'incendie, ou d'un autre désastre.

« Plusieurs conjectures ont été émises sur cette mystérieuse affaire. Des livres ont été publiés pour nous suggérer des solutions. Un auteur affirme que les passagers avaient sans doute tous ensemble décider de se baigner sauf le capitaine. Ce dernier devait être en train d'enregistrer le temps d'une course avec le chronomètre du bateau lorsqu'un mouvement subit le jeta par-dessus bord. Le bateau poursuivit sa route, seul, sans qu'aucun des baigneurs ne puisse le rattraper.

« Un autre auteur nous dit sérieusement que tous étaient appuyés au bastingage quand un raz de marée les précipita à la mer. Cette théorie a semé le fou rire un peu partout car il était impossible bien sûr qu'un tel phénomène se produise sans rien déranger sur les ponts. Tout ceci se passa il y a plusieurs années et nous avons la quasi-certitude que ce mystère ne sera jamais résolu.

« Sans la radio, les circonstances qui ont entouré le naufrage du Titanic n'auraient sans doute jamais été connues. Avant l'avènement de la radiotélégraphie et des routes maritimes, plusieurs navires sont arrivés au '**Port des Bâtiments perdus**' à cause de la glace.

« Le 'récif-à-dents' des Huns, '**spurlos Versenkt**' vient s'en doute s'ajouter aux autres dangers de la mer, et le Cyclops a peut-être passé par là ! Mais, ce n'est qu'une supposition et même ceux qui y croient sont d'avis qu'il n'aurait pas couler sans lancer un signal de détresse. »

Le Cyclops était chargé de manganèse. Cette matière est très recherchée par tous les pays en temps de guerre. Il était dirigé par le capitaine de frégate George W. Worley qui était né en Allemagne. Son nom était George Wichman. Il était encore enfant quand il arriva en Amérique. Il fut adopté par un californien du nom de Worley. Plus tard, il prit officiellement le nom de son bienfaiteur. Il devint citoyen des États-Unis en 1893. Le **New York World** rapporte :

« Avant d'entreprendre son dernier voyage, le capitaine Worley vendit les biens qu'il possédait à Norfolk, Virginie, incluant la maison où vivaient sa femme et son enfant. Il raconta à des amis qu'à son retour il avait l'intention de demander une permission pour retourner en Californie et se reposer. Il ajouta qu'il devait subir une intervention chirurgicale et qu'il aurait besoin d'une convalescence de six mois.

« Madame Worley dit que son mari est un bon citoyen et que ses états de service pour le gouvernement en sont la preuve. Elle le croit encore vivant, en panne sur l'océan et dans l'attente que son bateau soit bientôt repéré.

« 'Croyez-vous que mon mari trahirait son pays, sa femme et sa fillette ?' demanda-t-elle à un journaliste. 'Mon mari est un américain de part en part. Il déteste l'Allemagne. Il vint ici pour trouver la liberté et il se battrait jusqu'à la mort pour la défendre. C'est un aussi bon Américain que tous ceux qui sont nés aux États-Unis, et certainement meilleur que ceux qui doutent aujourd'hui de son patriotisme. J'espère qu'il survivra pour confondre ses accusateurs.' »

10. L'ATALANTA S'EST ÉVANOUI

Par MICHAEL CUSACK

Le HMS Atalanta s'évanouit dès son premier voyage. Sa disparition est un cas classique du mystère du Triangle des Bermudes. L'auteur qui est éditeur adjoint de « *Science World* », a déjà publié sur le sujet un article qui s'intitule : « *The Deadly Mystery of the Devil's Triangle* ». Il est aussi expert-conseil dans les domaines scientifiques et technologiques pour le compte de « *Scholastic Magazines* », et fut aussi technicien en électronique pour les Forces de l'air américaines (1950-1954), en plus d'avoir occupé plusieurs postes à la *General Precisions Inc.* Ajoutons qu'il est un des collaborateurs réguliers à l'Encyclopédie Funk & Wagnalls.

Le Capitaine Francis Stirling de la Marine royale était un homme prudent. C'est peut-être ce qui lui fit prendre une décision fatale le 29 janvier 1880. A l'ancre à Hamilton Harbor, Bermudes, le Capitaine Stirling décida de raccourcir le voyage du navire école HMS Atalanta. Il oublia ses projets de croisière dans la Mer des Caraïbes et mit le cap directement sur l'Angleterre en quittant les Bermudes.

Selon toute évidence le Capitaine Stirling négligea d'informer l'Amirauté britannique de ce changement. Cependant, il en fit part à sa femme.

Dans une lettre expédiée par steamer « rapide » le 30 janvier, le Capitaine Stirling écrivit qu'il comptait arriver à Spithead dans la première semaine de mars. Une autre lettre à bord du même bateau confirmait cette prévision. Le Lieutenant W. H. Stephens, navigateur sur l'Atalanta, écrivait à un ami officier à Portsmouth qu'il espérait être de retour en Angleterre vers le premier de mars.

Ni l'un ni l'autre ne donnèrent la raison de ce retour prématuré de l'Atalanta. Ce vaisseau-école ne devait rentrer en Anglerette que le 4 avril. Peut-être que les mésaventures de l'Atalanta au cours de sa traversée d'aller étaient suffisantes dans l'esprit du Capitaine Stirling pour l'inciter à revenir le plus tôt possible.

Le voyage à l'étranger du HMS Atalanta avait eu un départ difficile. Par un jour maussade et gris de novembre 1879, 15 officiers, 65 hommes d'équipage et environ 200 aspirants envahirent le vieux navire de bois. Les familles des aspirants étaient en ligne sur les docks de Portsmouth pour leur souhaiter un bon voyage. La parenté était plus nombreuse que d'habitude. Les uns pleuraient en abondance et les autres manifestaient des signes évidents de profonde inquiétude. Cette inquiétude était fort bien justifiée. Un peu plus d'un an auparavant, le vaisseau-école HMS Eurydice avait fait naufrage et 300 hommes et adolescents périrent avec lui. Le HMS Atalanta remplaçait le HMS Eurydice !

Le 7 novembre 1879, le HMS Atalanta quittait le port de Portsmouth toutes voiles déployées. Il était le symbole et la relique d'une ère passée. Il était entré en armement en 1845 en qualité de frégate de guerre baptisée HMS Juno. Le HMS Juno était un bateau qui aurait fait l'orgueil de Nelson. Mais il fut construit durant une période de changement. Le fer et la vapeur remplaçaient rapidement le bois et la toile sur les navires de guerre. Dès 1865, le HMS Juno était désespérément désuet. Ce fier navire fut alors désarmé, affublé du nom Atalanta, et mis à l'ancre dans le port de Portsmouth pour servir de bagne flottant.

Voilà comment il aurait pu finir ses jours. Mais le sort tragique du HMS Eurydice donna au vétuste Atalanta un regain de vie. La *Royal Navy* avait besoin d'un autre navire école. Or, les lords de l'Amirauté disaient que pour devenir un bon marin il était essentiel de servir d'abord sur un trois-mâts carré et les officiers ministériels se mirent en quête d'une frégate convenable. Leurs recherches les conduisirent au bagne flottant dans le port de Portsmouth. Les vieilles poutres étaient encore solides. Donc, en 1879, le HMS Atalanta fut réarmé pour prendre la place de l'Eurydice disparu. De plus, un homme qui avait la réputation d'être un navigateur prudent fut choisi pour commander ce vaisseau-école.

La première démarche que fit le Capitaine Stirling quand il accepta de diriger le HMS Atalanta, fut de recommander certaines altérations pour le vieux navire. Sans canons, la frégate était trop lourde du haut. Le capitaine demanda que les mâts soient raccourcis, qu'on allège le gréement et que l'on augmente le ballast. Il est peu probable que tous ces changements aient été faits avant que l'Atalanta entreprenne son long voyage le 7 novembre 1879.

L'Atalanta fit route vers les Açores au sud-ouest et ensuite vers la Barbade à l'ouest. En cours de route le navire fut aux prises avec le mauvais temps. Un homme d'équipage se perdit en mer. On a même parlé de dissension dans le personnel. Le fait ne fut jamais officiellement confirmé, mais la rumeur courait que le Capitaine Stirling avait mis deux hommes aux arrêts pour refus de grimper dans la mâture. Alors qu'il approchait de la Barbade, la redoutable fièvre jaune se déclara sur l'Atalanta. On dut faire descendre trois hommes à la Barbade afin de les hospitaliser. Puis, l'Atalanta se dirigea vers le nord jusqu'aux Bermudes. C'est là que se voyant aux prises avec des menaces d'épidémie, la mutinerie et le mauvais temps, le Capitaine Stirling semble avoir décidé de rentrer directement en Angleterre.

Le 31 janvier 1880, le HMS Atalanta partit du port d'Hamilton . . . et disparut à tout jamais.

Au mois de mars, le HMS Atalanta brillait par son absence mais il n'y eut ni pleurs ni grincements de dents. Seuls la femme du Capitaine Stirling et l'ami du lieutenant Stephens savaient que le navire devait arriver plus tôt. Ces deux personnes connaissaient suffisamment les caprices de la mer et des marins pour ne pas s'en faire s'il y avait eu d'autres changements dans l'itinéraire de l'Atalanta. Vers la fin de la première semaine d'avril, les membres de l'Amirauté ne manifestaient pas encore d'inquiétude au sujet du retard de l'Atalanta. Les bateaux à voiles sont imprévisibles et une semaine d'attente n'était pas chose rare. Cependant, au cours de la deuxième semaine d'avril, l'Amirauté reçut un déluge de lettres et de télégrammes signés par les parents anxieux. Le 13 avril un porte-parole de la Marine avança que le vaisseau-école était peut-être en panne ou démâté par une tempête. Dans ce cas, ajouta-t-il, il se pourrait que l'Atalanta soit plusieurs semaines en retard.

L'Amirauté se prépara à attendre. Mais c'était justement ce que les parents des aspirants ne voulaient pas faire. Le 17 avril, 200 d'entre eux assiégèrent Whitehall et exigèrent que quelqu'un bouge. L'Amirauté répliqua en envoyant le ravitailleur Wye aux Açores pour s'enquérir des allées et venues de l'Atalanta.

Entre temps, le torpilleur Avon arriva de la Chine. Le capitaine du Avon mit pieds à terre à Portsmouth le 19 avril et raconta qu'il avait vu des débris un peu partout dans le port de Fayal dans les Açores. Bien qu'il fut impossible d'affirmer que ces débris provenaient de l'Atalanta, un bon nombre de gens en Angleterre sautèrent à la conclusion que l'Atalanta avait fait naufrage dans les Açores au cours d'une tempête d'une extrême violence qui avait balayé la région au début d'avril.

C'est alors qu'une découverte dans l'océan près des Açores ajouta une nouvelle dimension au mystère. L'équipage de Wye trouva un vieil homme à la dérive dans une chaloupe à rames. L'homme était en piètre état. Il mourut sur le Wye avant d'avoir prononcé une parole. L'équipage d'un bateau qui passait eut vent de cette découverte. Bientôt toute l'Angleterre fut secouée par la rumeur qu'un survivant de l'Atalanta avait été trouvé. Cette rumeur prit fin avec le retour du Wye. L'homme dans la chaloupe ne fut jamais identifié mais il était évidemment beaucoup plus vieux que tous ceux qui étaient partis sur l'Atalanta. De plus, son costume et son apparence générale lui donnaient plutôt l'allure d'un pêcheur portugais. L'équipage du Wye ne put absolument pas trouver de traces de l'Atalanta. Le capitaine du ravitailleur exprima l'avis que l'Atalanta n'avait même pas atteint la région des Açores.

En mai 1880, la presse britannique intensifia ses critiques envers l'Amirauté et les cadres supérieurs de la Marine. Des journalistes firent des comparaisons fort défavorables entre l'Atalanta et le malheureux Eurydice. « Pourquoi » demandaient-ils « envoyer nos jeunes enfants en mer sur des navires instables ? » La **Royal Navy** était sur la défensive pour la première fois depuis des siècles. Dans une lettre adressée au journal **The Times**, l'Amiral Sir B. Sullivan s'opposa à la comparaison que l'on faisait entre l'Atalanta et l'Eurydice. Il souligna que l'Atalanta appartenait à une catégorie de frégates à larges baux qui étaient considérées par les experts de la Marine comme « des bâtiments très sûrs. » L'Amiral Sullivan concluait en disant que « . . . lorsque l'Amirauté choisit un navire de cette classe comme navire école, sa décision ne pouvait être plus judicieuse. »

Malgré les assurances de l'Amiral, la critique continua. Un nouvel élément vint attiser les flammes. L'Atalanta avait laissé à la Barbade trois marins qui étaient atteints de la fièvre jaune. L'un d'eux, John Verling, survécut et rentra en Angleterre à la fin de mai 1880. Les reporters se précipitèrent à sa rencontre. Ils ne furent pas désappointés. Le matelot de deuxième classe Verling qualifia l'Atalanta de « bateau maniaque ».

« Il était trop lourd du haut et donnait de la bande » disait-il. Monsieur Verling affirmait également que plusieurs des officiers de bord craignaient que l'Atalanta ne chavire.

La presse à **un sou** était radieuse. Mais les lords de l'Amirauté n'étaient décidément pas aussi réjouis. Un officier haut placé rendit visite à Monsieur Verling à l'hôpital naval de Portsmouth. Par la suite, le marin n'eut jamais rien à dire au sujet de la disparition de l'Atalanta.

Même avant l'incident Verling, l'indignation populaire piqua l'Amirauté qui prit des mesures sans précédents. Le 5 mai 1880, le Channel Squadron tout entier qui appartenait à la **Royal Navy** reçut l'ordre de passer l'océan au peigne fin afin de retrouver l'Atalanta. En formation de ligne, les frégates à vapeur Minotaur, Agincourt, Achilles et Northumberland ainsi que l'aviso Salamis balayèrent l'est de l'Océan Atlantique de Bantry Bay jusqu'aux Açores . . . à l'aller et au retour. Ils ne purent trouver aucune trace du vaisseau-école disparu.

A l'époque, plusieurs se demandèrent pourquoi les recherches étaient limitées à l'est de l'Atlantique. Au début de mai 1880, presque tout le monde savait désormais que le Capitane Stirling avait décidé de rentrer directement en Angleterre. Ainsi donc, l'Atalanta aurait dû passer au nord des Açores vers la fin de février ou le début de mars. Par conséquent, la population se demandait ce qu'aurait bien pu faire l'Atalanta près des Açores en Avril ?

Il semble que les officiels de l'Amirauté voulaient croire à tout prix que l'Atalanta n'aurait pu périr que dans une violente tempête. Or, une telle tempête avait sévi dans la région des Açores en avril. En outre, selon le plan de navigation original, le Capitaine Stirling et l'Atalanta auraient dû naviguer entre les Açores et l'Angleterre au début d'avril. Comme ils n'avaient pas été officiellement informés d'un quelconque changement d'itinéraire, les officiels de l'Amirauté préféraient s'en remettre au projet original pour organiser leurs opérations de recherches.

Dans les mois qui suivirent la disparition totale de l'Atalanta, les journaux britanniques publiaient quantité de comptes rendus et de rumeurs sur le sujet. Un autre voilier, le Bay of Biscay de la marine marchande, bâtiment à la coque de fer, disparut vers la même époque. Les spéculations allèrent bon train que les deux vaisseaux envolés étaient peut-être entrer en collision. Le Bay of Biscay quitta Rangoon en route pour Liverpool au cours du mois d'octobre 1979. On le vit pour la dernière fois au large des Açores le 7 février 1880. L'Atalanta serait-il entré en collision avec le Bay of Biscay ? Dans ce cas, où et quand ? Quelle fantaisie du destin a bien pu permettre que se croisent les routes de ces deux vaisseaux ? S'il y eut collision, n'est-il pas logique de penser que quelqu'un aurait aperçu les épaves ? Mieux encore, quelqu'un a sans doute vu leurs épaves !

Le 14 juin 1880, le trois-mâts barque Exile arriva à New York venant d'Antwerp. Selon **The New York Times**, le capitaine de l'Exile raconta qu'à la mi-mai il avait rencontré « une grande chaloupe qui était chavirée, était recouverte de mollusques et flottait à la dérive 400 milles à l'ouest du Cap Finistère au large de l'Espagne ». Quelque temps plus tard, le capitaine ajouta qu'il avait vu des barrots de pont dans l'eau.

Certains journaux anglais rapportèrent qu'on avait enfin trouvé des indices de la disparition de l'Atalanta. Cependant, le capitaine donna une description de la chaloupe abandonnée qui ne correspondait pas du tout aux chaloupes de l'Atalanta selon la **Royal Navy**. Et pourquoi les chaloupes d'un bateau seraient-elles recouvertes de mollusques ? De plus, il n'était pas rare de voir des barrots de pont flottant dans l'Atlantique Nord après un hiver rigoureux à l'ère des vaisseaux de bois.

Finalement, en juin 1880, deux numéros de **Vide Penny Il-lustrated Paper** publiaient des « renseignements définitifs » au sujet de la disparition de l'Atalanta. Ce journal rapportait que le capitaine d'un bateau de pêche de Rockport, Massachusetts, avait ramassé une bouteille qui flottait à environ un mille du rivage. Dans cette bouteille, une note « griffonnée apparemment avec grande hâte » disait que le vaisseau-école Atalanta était en train de couler le 17 avril, à 270 degrés de longitude et 32 degrés de latitude. Cette position est à l'ouest des îles Madères et au sud des Açores. Il est peu probable que l'Atalanta ait passé à cet endroit. La note « griffonnée » était signée : John L. Hutchings.

Le second reportage publié par ce journal illustré parlait d'un morceau d'une douve de tonneau qui avait été trouvé par des enfants sur une plage près de Halifax, Nouvelle-Écosse. On disait qu'un message avait été gratté sur cette douve : « Atalanta en train de couler, 15 avril 1880. Aucun espoir ». Le message était signé : James White.

Ni l'un ni l'autre de ces deux reportages fut pris au sérieux à l'époque. Selon les dossiers, il n'y avait pas de John Hutchings ni de James White sur l'Atalanta. Dans les années 1920, l'auteur et « chasseur de fantômes » bien connu Elliot O'Donnel entreprit d'étudier la disparition de l'Atalanta. Il en vint à la conclusion que les deux messages étaient fictifs. Il est évident que ces « messages » étaient fondés sur la supposition que l'Atalanta avait sombré dans l'est de l'Atlantique durant la grande tempête de la mi-avril. Monsieur O'Donnel ne croyait pas que l'Atalanta fut venu jusque dans l'est de l'Atlantique. D'après lui, le vaisseau fut probablement perdu au cours d'une tempête qui balaya le milieu de l'Atlantique au début de février.

Cependant, cette tempête aurait dû se trouver bien au nord de la route de l'Atalanta au moment où ce bateau traversait le milieu de l'Atlantique. Il laissa Hamilton le 31 janvier 1880. Puisque c'était une frégate à larges baux avec des mâts plus courts, sa vitesse moyenne ne dépassait pas neuf noeuds. Il semble donc peu probable que ce navire école pourrait avoir contourné les Bermudes et parcouru quelques centaines de milles vers l'est pour se trouver sur le passage de la tempête quelques jours plus tard.

Plusieurs de ceux qui étudient les mystères de la mer sont maintenant portés à croire que l'Atalanta périt à l'intérieur du Triangle des Bermudes. On le vit pour la dernière fois alors qu'il quittait Hamilton Harbor le 31 janvier 1880. Comme c'était la pratique en ce temps-là, le vaisseau-école s'engagea peut-être vers le sud en contournant la pointe à l'est de l'île principale des Bermudes afin de profiter des vents dominants. Il aurait alors été au sein du Triangle.

Au début de février, plusieurs vaisseaux navigaient à l'ouest vers les Bermudes. Aucun d'eux ne rapporta avoir aperçu l'Atalanta ou des indices quelconques de son naufrage. Lorsque l'Atalanta partit de Hamilton Harbor, il s'envola de la surface de la terre. Depuis ce jour-là, on n'a jamais trouver de traces de ce navire école.

11. LE SS MARINE SULPHUR QUEEN A-T-IL EXPLOSÉ ?

par Kent Jordan

À première vue, la disparition du SS Marine Sulphur Queen, énorme bateau-citerne rempli de soufre liquide, semble quasi impossible. Aurait-il explosé vu l'inflammabilité de sa cargaison ? Dans ce cas, qu'advint-il des débris et des matières polluantes qu'une telle catastrophe aurait laissés sur la mer ? Dans cette récapitulation des faits et gestes qui ont entouré la disparition de ce bateau, Monsieur Jordan se base sur un rapport rédigé par le *U.S. Coast Guard's Marine Board of Investigation* et la revision subséquente qu'en fit l'Amiral E.J. Roland, officier-commandant, *U.S. Coast Guard Headquarters*, Washington, D.C.

Le SS Marine Sulphur Queen partit de Sabine Sea Buoy à Beaumont, Texas, le 2 février 1963 à 18h30. Il devait arriver à Norfolk, Virginie, cinq jours plus tard. La dernière fois qu'il donna signe de vie fut le 4 février, à 1h25.
Nul ne pourrait dire exactement ce qui est arrivé au vaisseau, son équipage de 39 hommes, ses 15 260 tonnes de soufre liquide, son équipement et autres marchandises diverses qu'il transportait.
Le 7 février, il était nettement en retard. Le Commandant de la 5e division de la Défense côtière américaine avisa aussitôt le « Rescue Coordination Center », New York. Le même jour, l'état d'urgence fut déclaré et tous les navires des environs furent priés de garder l'oeil ouvert et lui porter secours si possible. L'état d'urgence demeura en vigueur jusqu'au 16 février. Toutes les tentatives de rétablir les communications radiotélégraphiques avec le disparu s'avérèrent inutiles.
Le 8 février à 08 heures un plan de recherches sur mer et du haut des airs fut instauré et se déroula comme suit :
8 février : La journée de recherches commence sur la route que s'était tracée le navire entre Beaumont et le Canal de Floride sur une distance de 1 630 milles. Sept avions couvrirent environ 58 000 milles au cours de ce projet. Par mesure d'efficacité, on prolongea de

30 milles les deux extrémités du trajet proposé.

8 et 9 février : Trois avions sillonnèrent le ciel au cours de la nuit et complétèrent 23 vols couvrant 22 000 milles carrés.

9 février : Puisque l'on ne pouvait retrouver le Marine Sulphur Queen le long de sa route normale, les recherches s'étendirent. Dix-neuf avions parcoururent 95 000 milles et volèrent pendant 114 heures au total.

9 et 10 février : Dès le coucher du soleil, deux autres avions décollèrent et couvrirent 8 300 milles carrés en douze heures de vol.

10 février : Journée de recherches encore une fois. Dix-neuf avions accumulent 136 heures de vol et scrutent une superficie de 76 700 milles carrés.

11 février : Quatorze avions profitent de la clarté pour couvrir 55 000 milles carrés en 86 heures de vol.

12 février : Dix avions couvrirent 22 000 milles carrés en 42 heures.

13 février : Dernière journée de recherches. Deux avions. Seize heures de vol. 11 000 milles carrés.

Devant les piètres résultats de ces premières recherches effectuées par les gardes-côtes, la marine et l'aviation, il fut décidé que des recherches intensives par voie de mer seraient préférables. Les avions avaient fait 83 sorties, avait passé près de 500 heures dans les airs et couvert une superficie d'environ 350 000 milles carrés. Pendant ce temps, le **Coast Guard's Atlantic Merchant Vessel Reporting system** communiqua avec 42 navires qui auraient pu voir le Marine Sulphur Queen durant les premiers jours de son voyage. Comme les autres, cette démarche fut infructueuse.

Le **Marine Board of Investigation** ajouta :

Le 20 février, un contre-torpilleur de la marine qui se trouvait à environ douze milles au sud de Key West, Floride, aperçut et ramassa une corne de brume ainsi qu'un gilet de sauvetage qui portait le nom du navire. Cet incident marqua le début de la seconde phase des recherches pour le Marine Sulphur Queen. D'abord confinée au secteur ouest de Dry Tortugas Island, elle s'étendit ensuite jusqu'au Canal de Floride en suivant l'axe du Gulf Stream pour finalement inclure les îles Bahamas et la côte est de la Floride jusqu'au Cap Canaveral. Sept navires prirent part à cette mission et 48 avions accumulèrent 271,4 heures de vol et couvrirent 59 868 milles carrés additionnels. Les probabilités de réussite s'établissaient comme suit : 95% dans le cas d'un navire, 70% pour un canot de sauvetage métallique et 65% s'il s'agissait d'un radeau.

Du 20 février au 13 mars, la Marine américaine se mit en quête de la coque du vaisseau depuis les hauts-fonds jusqu'à la courbe de 100 brasses de profondeur entre Key West et 24°35' nord, 83°30' ouest, utilisant six bateaux qui sillonnèrent l'emplacement pendant 523 heures, 17 sorties d'avions qui patrouillèrent pendant 57 heures. On avait évalué à 80% les chances de réussite. C'est alors que l'on récupéra d'autres débris du Marine Sulphur Queen. Le 14 mars 1963, à 17h40 environ, les opérations furent interrompues à la suite de rapports négatifs émanant de toutes les unités participantes.

Les objets trouvés et identifiés comme étant ceux du Marine Sulphur Queen consistaient en huit gilets de sauvetage, cinq bouées de sauvetage, deux plaques d'identification, une chemise, une rame brisée, un contenant d'huile, un contenant de gasoline, une bouée conique et une corne de brume. Tout ceci fut remis aux gardes-côtes à Miami, Floride, et plus tard envoyé à Washington, D.C., pour y être confié à des experts du Bureau des normes, des Gardes-côtes, et du Ministère des pêcheries. L'opinion générale fut que deux des gilets avaient peut-être été portés ainsi qu'une chemise attachée à un gilet de sauvetage. De nombreuses déchirures aux gilets de sauvetage témoignaient d'attaques par des poissons rapaces. Quelques objets furent soumis à des examens plus approfondis par le **Federal Bureau of Investigation** qui trouva que la chemise ne portait aucune marque de blanchisserie, visible ou non, et qu'il n'y avait pas la moindre trace de soufre sur aucun de ces articles. À l'oeil, on n'y décelait pas d'indices d'explosion ou de feu.

Le 29 avril 1963 les gardes-côtes de Corpus Christi reçurent une note qu'un homme d'origine espagnole disait avoir trouvée dans une bouteille de Wisky ce jour-là ou auparavant, à Laguna Madre, près de Corpus Christi, approximativement à 27°39,5 nord et 97°15,4 ouest. Il affirmait avoir brisé la bouteille pour en sortir le papier. On tenta en vain de retrouver les morceaux brisés de la dite bouteille. Mais, le 13 juin 1963, on produisit un fond de bouteille qu'on disait être le bon. Cependant rien n'indiquait qu'il avait séjourné dans l'eau. La note avait été écrite avec un crayon à bille sur un bout de papier brun semblable à celui qui sert à la fabrication des sacs. Anonyme, elle mentionnait une explosion et deux hommes blessés. Une carte rudimentaire y était dessinée. On y voyait le Golfe du Mexique, le Canal de Floride et Cuba. Il y avait un X encerclé et le mot « ship ». Le X était apposé à l'ouest du Canal de Floride. La note fut remise à un spécialiste fédéral en documents douteux qui affirma qu'il en avait identifié l'auteur en se basant sur la signature des membres de l'équipage et sur une lettre que l'un d'eux avait écrite à sa soeur.

Dorénavant identifiée, la bouteille devint un élément déconcertant pour ceux qui tentaient d'établir la position du navire et les conditions atmosphériques qu'il avait rencontrées sur sa route. Le di-

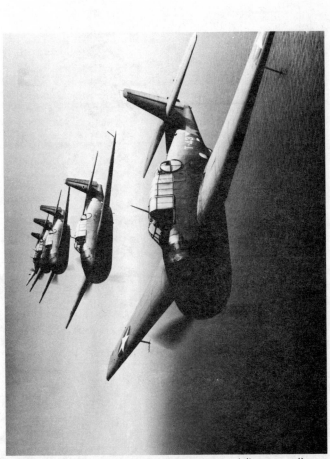

Une formation de cinq chasseurs « Avenger » comme ceux-ci disparut complètement entre ciel et terre. Monsieur Edward E. Costain en fait une analyse captivante en pages 36 et suivantes.
(PHOTO : Courtoisie « Department of the Navy » E.-U.)

Le Capitaine de ce vaisseau était un personnage insolite et très étrange. Non moins étrange et bouleversant est le récit de Conrad A. Nerving en pages 76 et suivantes, sur la disparition du USS Cyclops.

(PHOTO : Gracieuseté du Service de la Marine américaine)

« Mon mari est un bon citoyen et ses états de service en sont la preuve, » proclamait madame George Warley. Pourtant le capitaine du USS Cyclops (photo de gauche) était né en Allemagne sous le surnom de Wichman ! Pourquoi avait-il vendu tous ses biens avant son dernier voyage ?
(PHOTO : Courtoisie « Department of the Navy » E.-U.)

Vol solitaire ? Rendez-vous effroyable ? Ce magnifique hydravion Martin Mariner s
berce-t-il gracieusement dans la ouate soyeuse d'un univers parallèle ? Quelle est cett
porte qui s'ouvrit le 5 décembre 1945 ?
(PHOTO : Courtoisie « Department of the Navy » E.-U.)

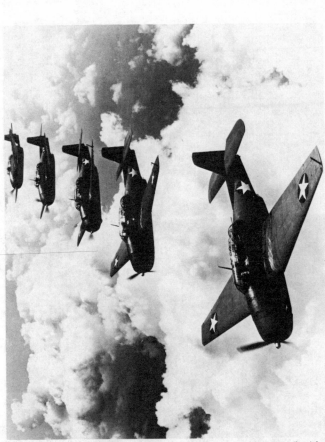

Formation parfaite en échelon de cinq avions torpilleurs « Avenger » Ont-ils, sirènes célestes, entraîné leur ami Martin Mariner (page 102) vers une autre dimension ? (PHOTO : Courtoisie « Department of the Navy » E.-U.)

Monsieur Parle F. Brookins, matelot à bord du **South Carolina** est le généreux donateur de cette photo du USS Cyclops en 1914, en train de tenter une expérience de ravitaillement en mer.
(PHOTO : Courtoisie « Department of the Navy » E.-U. et Parle F. Brookins)

Le 31 janvier 1943, le USS Bailey retire des eaux le lieutenant Charles C. Taylor et un compagnon qui avaient dû abandonner leur avion chasseur à la suite d'une panne sèche. On se souviendra que le lieutenant Charles C. Taylor commandait le fatidique « vol 19 »
(PHOTO : Courtoisie « Department of the Navy » E.-U.)

Le lieutenant Robert F. Cox que l'on voit en train de recevoir une décoration des mains du capitaine Louis B. French, était chef moniteur à la base aéronavale de Fort Lauderdale lors de la disparition des cinq « Avenger ».
(PHOTO : Courtoisie « Department of the Navy » E.-U.)

« Navire volant » Martin Mariner du même type qui s'engagea dans ce « vol sans retour » lors de la disparition des cinq « Avenger ».
(PHOTO : Courtoisie « Department of the Navy » E.-U.)

recteur du **Coast and Geodetic Survey** soutenait qu'elle n'aurait pu flotter jusqu'à Corpus Christi si on l'avait mise à la mer à l'est de 85 degrés ouest, « à moins d'un vent violent qui aurait soufflé vers le sud-est pendant plusieurs jours avant et après l'incident. » Or, le vent soufflait vers le nord au moment de la disparition.

Les enquêteurs de la Défense côtière conclurent que le Marine Sulphur Queen avait affronté « une grosse mer et des vents tumultueux » le 3 février dans le Golfe du Mexique, et le 4 février près du Canal de Floride. À 1h25, c'est-à-dire aux petites heures du jour, le 4 février, il transmit quelque part sur la côte le message personnel d'un membre d'équipage. Peu avant le midi du même jour, à 11h23 pour être exact, on ne pouvait plus l'atteindre par radio et il en fut ainsi par la suite. La Commission d'enquête concluait donc que : « Le vaisseau fit naufrage le 4 février 1963 alors qu'il s'approchait du Canal de Floride, ou aux environs. » Il ajouta toutefois que : « Considérant l'absence de survivants et de tous vestiges du naufrage, il est impossible d'apporter plus de précisions sur la disparition du Marine Sulphur Queen. »

On n'écarte pas la possibilité d'une explosion sur une mer orageuse, d'autant plus que la structure du navire manifestait certains signes de faiblesse. L'équipage n'avait pas eu le temps d'endosser les gilets de sauvetage, à l'exception de ceux qui étaient de quart et les avaient à la portée de la main. Les quelques débris que l'on avait retrouvés flottaient à la dérive au sud de la Floride. Il est douteux que la bouteille au message géodésique ait été jetée à la mer avant le naufrage : Quelqu'un aurait-il eu le temps de le rédiger, le mettre dans la bouteille et de sceller le tout, alors que l'on avait même pas pu émettre un appel de détresse ?

Même si la Commission d'enquête de la Marine qualifie de « conjecture » la supposition que le Marine Sulphur Queen fut déchiré par une explosion, elle n'en indique pas moins la possibilité réelle. Dans son rapport, elle fait la description détaillée de la construction du navire, ancien pétrolier dont on avait fait un bateau-citerne pour transporter du soufre, et explique comment cette transformation avait considérablement réduit sa résistance. Les divisions entre les diverses sections du navire avaient été enlevées. Par conséquent, une explosion ou tout autre malheur qui se produisait dans une section pouvait immédiatement se propager sur tout le navire.

Quand l'Amiral Roland étudia le rapport de la Commission, il remarqua qu'en plus de l'hypothèse d'une explosion on faisait également mention de l'affaissement complet de la poutre centrale « qui aurait amené le navire à se briser en deux ». De plus, le vaisseau pouvait avoir « chaviré à la suite d'un roulis synchronique, » en haute mer, ou « subir une explosion de vapeur à la suite d'un remplissage trop rapide des espaces de refroidissement. » L'Amiral fut d'accord qu'à l'avenir aucun pétrolier ne serait converti en bateau-citerne pour transporter du soufre, comme le fut le Marine Sulphur Queen, à moins que la structure de la coque ne soit particulièrement solide. Après avoir parlé des mérites des autres recommandations, l'Amiral déclara : « Conformément à une autre des recommandations de la Commission, de nouveaux règlements sont en voie de préparation pour être soumis au Conseil de la Marine Marchande. Ces règlements forceront les propriétaires de transporteurs de soufre à donner les directives appropriées et une formation spéciale à tous les membres de leur personnel pour qu'ils soient bien au courant des dangers d'une telle cargaison. » On devait également mettre l'emphase sur de sévères inspections, quoique depuis ce jour très peu de vaisseaux transportent du soufre fondu.

L'incident du SS Marine Sulphur Queen fait partie du mystère du Triangle des Bermudes pour la seule raison que le **Marine Board of Investigation** ne put s'entendre sur la cause spécifique de la catastrophe, et que l'on ne retrouva que très peu de débris. Charles Berlitz en parle dans son livre : « **The Bermuda Triangle** », dans le chapitre intitulé « **The Sea of Lost Ships** ». Berlitz croit que la dernière communication en provenance du bateau était celle d'un marin qui « avait spéculé à la bourse, particulièrement sur les fluctuations des prix du blé, passe-temps qui demande normalement des rapports plutôt étroits avec son courtier. » Lorsque la firme de courtage ne put confirmer l'ordre d'acheter du marin, parce que les communications par radio avaient été rompues, les courtiers en informèrent les propriétaires du navire. Dans son livre : « **Limbo of the Lost** », John Wallace Spencer traita du Marine Sulphur Queen à partir de faits concrets, mais il demanda : « Pourquoi n'a-t-on pas trouver de chaloupes de sauvetage, de nappes d'huile et de soufre à la dérive ? Pourquoi n'a-t-on pas lancé de signal de détresse ? » Il en conclut que la Garde-côte classa l'affaire parmi les autres mystères des « Limbes des disparus ». Dans « **The Devil's Triangle** », Richard Winer affirme que lorsque le navire contourna les Florida Keys, un membre de l'équipage envoya un radiogramme à son épouse pour lui annoncer l'heure approximative de son arrivée à Norfolk, tandis qu'un autre en envoya un à son agent de change à Tampa. Cette dernière précision est probablement une autre version du contenu de la dernière communication du Marine Sulphur Queen et n'est pas tout à fait conforme à celle de Monsieur Berlitz. Monsieur Winer souligna que presque tous les articles et les livres publiés sur le Triangle des Bermudes, font mention de la disparition du Marine Sulphur Queen dans un contexte étrange et mystérieux. Quant à lui, il ne trouve rien de surnaturel dans cette mésaventure car « ce ne fut qu'une explosion industrielle en mer ». Dans « **The Bermuda Triangle Mystery : Solved** », Monsieur Lawrence D. Kusche consacre tout un chapitre sur le sujet. Il cite des passages du rapport de la Commission d'enquête et écrit : « La légende du Triangle des Bermudes est telle que la Garde-côte ne put expliquer la perte » du navire, mais il ajoute que la Commission avait trouvé quatre causes possibles, et le Commandant une cinquième. Kusche dit aussi :

« Les veuves et les parents des disparus intentèrent aussitôt des poursuites en dommages-intérêts contre le propriétaire du navire. Le combat juridique se poursuivit pendant plus de dix ans. Le jour du dixième anniversaire de la disparition du Marine Sulphur Queen, on annonça qu'une première réclamation venait d'être réglée en cour pour une somme de 115 000 dollars, à l'avantage de la veuve d'un matelot. En 1972, la Cour Suprême sanctionna la décision d'un tribunal inférieur qui avait jugé que le navire n'était pas apte à prendre la mer. Des réclamations se chiffrant à plus de 7 millions de dollars peuvent maintenant être faites. La vitesse avec laquelle le navire avait sombré mit en branle l'enquête sur les systèmes d'alarme automatiques et sur les radiophares qui indiquent la position. »

La raison qui nous pousse à accorder une attention particulière au SS Marine Sulphur Queen lorsque l'on parle des mystères du Triangle des Bermudes, est la nature de sa disparition ainsi que la documentation détaillée qui existe sur ce navire. Quand un incident s'est produit il y a longtemps, les renseignements sont moins précis, ce qui a pour effet de rendre encore plus mystérieuse une disparition déjà insolite. Dans le cas qui nous concerne, les renseignements sur l'état du navire sont très détaillés et les recherches intenses que l'on fit alors ont tout de même eu pour résultat la découverte d'articles tels que les gilets de sauvetage quoique en quantité très limitée. En somme le Marine Sulphur Queen est le cas « classique » de ce qui aurait pu devenir une disparition très mystérieuse, mais qui le devint beaucoup moins grâce aux renseignements positifs que l'on possède, même s'il fut impossible d'en arriver à une preuve concluante.

12. LE FREYA FUT-IL DÉTRUIT PAR UN TREMBLEMENT DE TERRE ?

tiré du magazine Nature

Le trois-mâts allemand Freya quitta le port de mer cubain de Manzanillo le 3 octobre 1902, en route pour Panta Arenas, Chili. Il ne donna plus signe de vie. Vingt jours plus tard, on le retrouva renversé sur le côté, les mâts presque arrachés et abandonné de son équipage. Dans son livre « *The Bermuda Triangle* » (1974), Charles Berlitz place le Freya dans la catégorie des bateaux déserts qui pour des raisons « inexplicables » ont été retrouvés dans la zone du Triangle. « À la même période de temps » ajoute-t-il, « il y eut un violent tremblement de terre au Mexique », et l'on avait prédit qu'il serait suivi d'un gigantesque raz de marée. C'est alors que l'équipage du Freya fut balayé et le navire lui-même chavira ; mais, quand la mer fut plus calme il se redressa quelque peu. La revue scientifique anglaise *Nature* publia le reportage suivant dans son édition du 25 avril 1907. Les phénomènes prenaient de l'envergure et l'on commença à étudier les liens communs entre ce qui se produisait en mer et les catastrophes de l'air.

Un violent tremblement de terre vient de s'inscrire au tableau où s'accentue la courbe des activités sismiques et volcaniques le long de la côte américaine du Pacifique. À 23h30, le dimanche 14 avril, soit à 06 heures le 15 avril à Greenwich, la plus grande partie du Mexique fut agitée d'une secousse terrible. Comme il fallait s'y attendre, les premiers comptes rendus étaient nettement exagérés et donnaient une image fausse des dégâts. On crut d'abord que la ville de Mexico avait été détruite. En vérité, cette ville n'avait subi que peu de dommages comparativement à Chilpancingo et Chilapu et autres municipalités de moindre importance que l'on ne trouve pas sur les cartes. Les villes côtières entre Salina Cruz et Acapulco furent durement touchées, et cette dernière fut même en partie submergée. Le choc se propagea jusqu'à San Luis Potori et Juan Batista mais sans y laisser de traces fâcheuses. Ces deux villes sont à environ 530 et 350 milles respectivement de l'endroit où les dommages étaient les plus élevés. Nous pouvons donc conclure que la catastrophe signala sa présence à 500 milles à la ronde.

Les premiers comptes rendus affirmèrent que le transport par rail était suspendu entre Mexico et Vera Cruz à cause d'un tassement de terrain. Cependant, cette nouvelle n'a pas été corroborée par la suite et c'est la seule indication que le tremblement de terre se serait étendu vers la côte ouest. Tout le reste nous porte à croire qu'il eut son point d'origine près de la côte du Pacifique et qu'il se produisit partiellement, si non complètement, sous la mer.

Les secousses sismiques marines ne sont pas rares dans la région. Parfois, seuls les bateaux les ressentent et l'on cite au moins un cas où ils entraînèrent la perte d'un navire. Cet incident est remarquable. Le 3 octobre 1902, le trois-mâts allemand Freya levait l'ancre à Manzanillo en route vers Planta Arenas. Ni le capitaine ni l'équipage ne donnèrent jamais plus signe de vie. Le bâtiment fut trouvé vingt jours plus tard, dérivant sur le côté et la mâture partiellement arrachée. Rien ne pouvait justifier l'état du bateau, mais un calendrier qui fut retrouvé dans la cabine du capitaine nous porte à croire que la catastrophe se produisit le 4 octobre, peu de temps après son départ, comme semblait également l'indiquer l'ancre qui était encore suspendue par l'avant.

Les rapports météorologiques n'indiquent que des vents légers pour cette région entre le 3 et le 5 octobre ; cependant, les 4 et 5 octobre, de violents tremblements de terre secouèrent Acapulco et Chilpancingo. Il est probable que l'une de ces secousses endommagea le Freya et força son équipage à l'abandonner.

Les quotidiens accordèrent plus d'importance aux séismes d'Espagne et d'Italie qui eurent lieu peu après celui du Mexique, mais ils étaient d'une catégorie dont la fréquence ne justifiait aucunement un rapprochement direct avec ce dernier qui était plus gros. La situation est peut-être différente en ce qui concerne deux autres gros tremblements de terre qui furent enregistrés à 21h10 le 18 avril et 12h11 le 19 avril. Nous n'avons pas encore de nouvelles au sujet de ces secousses mais nous croyons qu'elles étaient de première importance et furent enregistrées à une bonne distance de leur épicentre lequel était à environ 90 degrés de l'Europe Occidentale. C'est environ la distance du Mexique, mais il est rare que les contrecoups atteignent une telle magnitude. Par contre, il arrive que des tremblements de terre se produisent en séries et aux antipodes l'un de l'autre. Or, nous savons qu'il n'y eut pas de séisme d'importance en Amérique ni au Japon. Donc, il nous est permis de croire que l'épicentre de ces deux tremblements de terre dans le Pacifique-Nord se trouvait sur la côte orientale de la presqu'île Malaise.

13. CROISIÈRE VERS LE NÉANT

par Allen Roberts

Un chalutier de plaisance de 54 pieds fut porté disparu au cours d'une excursion d'essai dans les Caraïbes au début de 1974. L'incident est récent, bien documenté et raconté par un observateur sérieux qui fut témoin des préparatifs du Saba Bank et des circonstances qui entourèrent sa disparition. Le cas est concret, dramatique, et d'aspect contemporain.

« Ils connaissaient la mer. Ils n'avaient pas dépensé tout leur argent pour des congélateurs et des babioles.

« Non, ils ont surtout pensé aux appareils de sécurité. Ils ne lésinaient pas. S'ils trouvaient quelque chose d'utile, ils l'achetaient.

« Voilà ce qui rend cette histoire si incroyable . . . »

Ainsi s'exprimait avec grand étonnement le Capitaine Larry Menkes quand il apprit la disparition du Saba Bank, chalutier de plaisance de 54 pieds, lors d'une croisière d'essai dans les Caraïbes en mars 1974.

Le yacht quitta Nassau le 10 mars. Le 8 avril, on l'attendait à la marina de Dinner Key, Coconut Grove, au sud de Miami. Il devait ensuite être affrété par son propriétaire la **Vaco Corporation of Wilmington**, Delaware. Mais le Saba Bank navigua vers le néant. Il ne donna jamais plus signe de vie après avoir quitté Nassau Yacht Haven.

À son bord il y avait le capitaine de 32 ans, Cy Zenter de Philadelphie, ainsi que ses cousins Elliot Cohen, 30 ans, également de Philadelphie, et Raphael Kaplan, 26 ans, de Sicklerville, New Jersey. John Tarquinio, 42 ans, un ami de Vineland, New Jersey, les accompagnait.

Ce bateau de 300 000 dollars était complètement pourvu d'appareils et d'équipement de radio et de navigation : VHF, FM, radar et radiophares. Mais ces puissants radios demeurèrent invisibles et silencieux. Le 8 avril passa et pas un mot du Saba Bank.

L'alerte fut donnée à la base des gardes-côtes à Miami. Le 10 avril, des recherches par radio commencèrent dans les Caraïbes. Tous les jours, des appels d'urgence furent lancés dans l'espoir d'atteindre le yacht ou de trouver sa position.

Toujours pas de réponse.

La Corporation Vaco s'assura les services du Capitaine Menkes pour diriger la recherche et le sauvetage. Menkes qui était lui-même capitaine d'un yacht, connaissait Zenter et avait déjà navigué avec lui. Il avait de plus fréquenté la même école que le frère aîné d'Elliot Cohen. Menkes et les représentants de la firme Vaco louèrent un avion et entreprirent d'intensives recherches aériennes. Ils concentrèrent leurs efforts dans les endroits qui ne sont normalement pas surveillés par les gardes-côtes et accordèrent une attention particulière aux régions adjacentes à la route que devait suivre le Saba Bank.

Les gardes-côtes ne participaient pas activement à cette opération, mais leurs bateaux et leurs avions avaient la consigne d'avoir l'oeil ouvert pour le Saba Bank au cours de leur patrouille de routine ou quand ils allaient au secours d'autres appareils.

Pendant quelque temps, Menkes ne perdit pas confiance.

« Le bateau est probablement en panne et à la dérive quelque part loin des grandes voies maritimes » disait-il vers la fin d'avril. « Tôt ou tard, nous le verrons poindre. L'océan est si immense que cette situation pourrait se prolonger pendant des semaines. »

En effet, les semaines passèrent. Ensuite, les semaines devinrent des mois. Mais, on avait toujours pas de nouvelles du chalutier. Par contre, il y avait des rumeurs . . . pour ça, croyez-moi !

« Officiellement, j'étais le coordonateur des recherches ; en pratique, je dirigeais le 'siège social des rumeurs' » de dire Menkes.

Un bateau de 54 pieds, que l'on disait solide et résistant, extraordinairement bien équipé : radiotéléphonie, balises de sauvetage, radar, nommez-en ! Et quatre hommes se perdent avec tout ça . . . qu'est-il donc arrivé ?

« Je ne pourrais émettre la moindre hypothèse » avouait Menkes avec tristesse, « nous avons travaillé fort et longtemps pour ne rien trouver. »

Les explications ne manquent pas sur les malheureusement trop fréquentes disparitions de navires et d'avions dans le Triangle du Diable : c'est la région comprise entre Miami, Porto Rico et les Bermudes. Pierre angulaire de tant de mythes et de légendes !

Les gardes-côtes, du moins c'est ce qu'ils disent ouvertement, sont d'avis qu'il n'y a rien de mystérieux dans toutes ces disparitions. Elles sont imputables, en totalité ou presque, aux eaux turbulentes et au climat capricieux et violent qui prévalent dans le Triangle. En effet, le temps peut se montrer infernal dans cette zone semitropicale qui comprend aussi la Floride et ses eaux environnantes.

C'est la partie du monde la plus éprouvée par les orages. Certains endroits en ont une centaine dans une année moyenne. Au cours d'un vol d'une heure et demie entre Lakeland en Floride centrale et Fort Lauderdale sur la côte est, un pilote en a compté treize.

L'air chaud, humide et instable donne naissance à des tempêtes brutales qui peuvent avoir dix milles de longueur à la base et atteindre une hauteur de 40 000 pieds. Plusieurs de ces monstres peuvent se développer en même temps et former ce qu'on appelle un « front de bourrasques » qui s'étend sur des centaines de milles.

Ce phénomène est très rapide. En quelques minutes le ciel bleu et serein est noir ; l'orage atteint des proportions gigantesques et déverse des torrents de pluie sur terre et sur mer, accompagnés de vents aussi dévastateurs que des ouragans.

Le Saba Bank avait-il sombré dans la tempête ou la bourrasque ?

Le Capitaine Menkes avait constaté que l'équipage du chalutier de plaisance ne semblait pas avoir tellement d'expérience, mais il ne croyait pas pour autant à la théorie de la tempête. Il faisait beau. Il y avait peut-être risque de bourrasques, mais rien de dangereux pour un embarcation de ce genre.

« Il était vraiment bien construit. Il était beaucoup plus apte à tenir la mer que la plupart des bateaux des environs. »

« Sa solidité lui aurait permis de résister à n'importe quoi. »

De plus, il est difficile de concevoir qu'une tempête pourrait frapper si vite que l'équipage n'aurait pas le temps d'envoyer un signal de détresse. Dans certaines circonstances, il est possible que des orages puissent détruire un bateau sans avertissement, surtout lorsque la foudre fait exploser les émanations de gaz imputables à de mauvais ajustements ou à des fuites dans le réservoir. Les orages de cette région sont si riches en éclairs, que c'est le lieu de prédilection de ceux qui ont des recherches à faire dans ce domaine.

Au début des années 1960, le docteur Bernard Vonnegut de l'Université de l'état de New York, ainsi que Charles Moore du **New Mexico Institute of Mining and Technology**, installèrent des instruments sophistiqués dans les Grandes Bahamas pour expérimenter et trouver la preuve que la pluie ne commence à tomber qu'à la suite d'un éclair. En 1966, le docteur M. M. Newman et son équipe du **Lightning and Transients Research Institute** s'amenèrent sur un navire de recherches, le Thunderbolt, près des côtes de la Floride pour tenter une expérience. Ils désiraient lancer des fusées porteuses de fils électriques dans l'oeil de la tempête.

Le matelot Bill Verity de Fort Lauderdale eut l'occasion de connaître la puissance inconcevable de la foudre, dans le Triangle du Diable. Verity traversa l'Atlantique à deux reprises, seul, afin de mettre à l'épreuve sa théorie que Saint Brendan, accompagné de ses moines irlandais, avait pu traverser l'océan au sixième siècle. En 1969, au cours de son deuxième voyage d'Irlande à Fort Lauderdale, Verity se vit aux prises avec un orage qui le pétrifia.

« J'étais tellement effrayé que je ne savais plus quoi faire. La foudre tombait partout autour de moi, si près que je sentais son odeur . . . »

On accuse la foudre d'être responsable de plusieurs catastrophes sur la mer et dans les airs. En 1963, près d'Elkton, Maryland, plus de 70 témoins ont vu un éclair frapper un Boeing 707 de la ligne Pan American, et l'appareil plongea du nez comme une comète de feu, et s'écrasa dans un champ tuant plus de 80 passagers.

La foudre est également responsable d'une quasi-catastrophe lorsque quelques secondes seulement après le décollage d'une fusée habitée Apollo, cette dernière fut frappée par la foudre et tout son appareillage électronique essentiel tomba en panne momentanément.

Les tornades et les trombes d'eau sont aussi les résultats de tempêtes. Elles sont capables de causer de sérieux dommages aux navires et aux avions, parfois même les détruire. Il y a tellement de trombes d'eau dans cette région qu'il n'est pas rare que des gens sur le rivage en voient deux ou trois se tortiller de part et d'autre au-dessus de l'eau.

Ces trombes d'eau sont visibles à des milles à la ronde et on peut facilement les éviter . . . sauf quand il fait nuit ou quand la visibilité est mauvaise.

Alors, si le Saba Bank n'avait fait explosion, que ce soit à cause de la foudre ou non, ou encore s'il a été surpris par une trombe d'eau, il y aurait sûrement eu beaucoup de débris. Le chalutier de plaisance avait deux canots de sauvetage, tous deux munis d'attaches hydrostatiques qui se relâchent automatiquement si le bateau coule. En outre, chaque canot avait son propre radiophare pour signaler sa position à tous les navires ou avions qui seraient à sa recherche.

L'océan est immense mais il est aussi très achalandé. Chaque semaine, des centaines de navires et d'avions le traversent de toutes parts. Pourtant, on ne trouva jamais de débris du Saba Bank. L'immensité de l'océan étonne même les vieux loups de mer comme le Capitaine Menkes. « Je l'ai survolé assez longtemps pour me rendre compte jusqu'à quel point c'est difficile d'y répérer un gros navire. Alors, que dire d'un petit canot qui serait là, maintenant, quelque part.

« On dit que des épaves d'un naufrage qui s'était produit dans le Gulf Stream ont été retrouvés sur la côte nord de l'Irlande, trois ans plus tard. »

Le Gulf Stream lui-même devient parfois un élément destructeur.

« J'ai vu le Gulf Stream en furie. Incroyable ! » disait Menkes. « Il est difficile de croire à quel point il peut devenir terrifiant. C'est à vous en donner des cauchemars . . . je suis convaincu qu'il a sa part de responsabilité dans la disparition de plusieurs navires. »

« Pourtant, j'aurais juré que le Saba Bank pouvait affronter sans crainte tout ce que le Gulf Stream avait à offrir. »

Parmi les théories émises, il en est une qui retint beaucoup l'attention :

Le Saba Bank fut victime de pirates qui cherchent à s'emparer de bateaux rapides et de dimensions raisonnables pour faire le trafic des narcotiques. Au mois d'août 1974, peu de temps avant les premières audiences du **House Merchant Marine and Fisheries Committee**, le sénateur John Murphy déclarait que des centaines de navires étaient disparus avec leur équipage, victimes de trafiquants de drogue.

Murphy raconta que des trafiquants d'héroïne et de marijuana arraisonnent les yachts en pleine mer, tuent les passagers et utilisent ensuite ces mêmes yachts pour faire la contrebande. Ensuite, selon son rapport, les yachts sont souvent sabotés après quelques traversées.

« Il y a littéralement des centaines de bateaux et des centaines d'équipages qui sont disparus dans l'Atlantique-Sud, le Golfe du Mexique, le long des côtes du Pacifique, ainsi qu'en Hawaii. La plupart de ces victimes ont été les cibles de trafiquants. »

Quelques officiels des Gardes-côtes qualifient de grossière exagération le rapport du sénateur Murphy. Selon Bill Stevens qui compte 25 ans de navigation dans les Caraïbes, il n'y a eu que deux ou trois cas semblables, à sa connaissance.

D'autre part, un autre personnage officiel des Gardes-côtes a témoigné à l'effet qu'au moins trente yachts ont pu être victimes d'actes de piraterie. Le Commandant des Gardes-côtes, M. K. Phillips, senior duty officer au Centre d'opérations des Gardes-côtes à Washington, jura qu'il n'y avait eu que quatre cas bien documentés de piraterie imputables à des trafiquants, au cours des trois dernières années. Il ajouta qu'il était fort possible qu'il y en ait eu jusqu'à trente, mais que faute de preuves il ne pouvait l'affirmer.

Le Saba Bank est spécifiquement mentionné dans le rapport Murphy, comme étant un cas possible d'enlèvement. Au moment de l'enquête, les gardes-côtes de Miami avaient une liste de 22 cas bien documentés de navires ou d'équipages portés disparus.

« Nous ne savons pas ce qui leur arriva » admit le Commandant James Webb, responsable adjoint des relations publiques aux quartiers généraux des Gardes-côtes à Washington.

« Ils avaient tous un ou plusieurs aspects qui auraient pu attirer un éventuel ravisseur » disait-il. Ces facteurs étaient l'aptitude du bateau à tenir la mer, son équipement pour de longues traversées, ou encore le manque de discernement du capitaine dans le choix de certains membres de son équipage.

Dans le cas qui nous concerne, le dernier facteur est absent, mais les autres y sont. Ned Rogovoy, procureur de la firme **Vaco**

Corporation, espérait que le yacht ait été enlevé. « Je sais que tous partagent ce même désir, car si tel était le cas il y a une chance que ceux qui étaient à bord soient encore vivants. »

S'il est vrai que le Saba Bank fut enlevé, il n'y a plus grand espoir. De toute façon, Menkes n'y croit pas beaucoup. Mais il admet que le bateau était une belle proie, bien sûr ! **Vaco Corporation** avait offert une récompense substantielle de 2 500 dollars pour toute information qui conduirait au Saba Bank. Cette récompense fut ensuite portée à 20 000 dollars.

« Je pense que s'il s'agissait d'un acte de criminels, quelqu'un nous en aurait parlé. » Voilà l'opinion de Menkes.

Naturellement, il y eut d'autres hypothèses plus ou moins farfelues pour expliquer les disparitions mystérieuses à l'intérieur du Triangle du Diable. OVNI, distorsions espace-temps, et le reste. À l'occasion, nous entendons parler d'événements étranges qui se seraient produits. Un pilote de Palm Beach raconta à un journaliste que durant un vol qu'il fit entre Freeport, Bahamas, et Palm Beach, il sembla entrer dans un tunnel sombre qui s'étendait, à l'avant comme à l'arrière, aussi loin qu'il pouvait voir.

Ce pilote, vétéran de centaines de vols dans cette région, ajouta que son chronomètre semblait s'être arrêté et que ses instruments de bord devinrent incohérents ... il ignore combien de temps il passa dans ce tunnel et le phénomène le confond. Il se sent quelque peu effrayé et embarrassé. Jamais il n'en souffla mot à qui que ce soit avant d'en parler à ce journaliste, deux ans après l'incident. Était-ce la fatigue ? Ou une forme quelconque d'auto-hypnose ?

Peut-être, mais le récit de ce pilote n'est qu'un parmi des douzaines et même des centaines d'autres faits étranges survenus dans cette zone crépusculaire surnommée « Triangle du Diable ». Aussi longtemps que des bateaux comme le Saba Bank continueront à disparaître sans laisser de traces, aucune théorie ne peut être entièrement rejetée.

Menkes avoue qu'il est déconcerté : « Je ne sais pas. Je n'ai même pas une théorie ! »

14. « JE NE VEUX PAS DEVENIR UNE AUTRE STATISTIQUE ! »

Les aventures du Capitaine Don Henry

Qu'arriva-t-il exactement au remorqueur de 160 pieds du Capitaine Henry, Le Good News, par une belle journée d'été de 1966 alors qu'il voyageait dans la zone du Triangle des Bermudes ? Son bâtiment fut subitement dépouillé de toute énergie électrique, l'océan n'était plus qu'une écume laiteuse, l'horizon disparut et l'énorme barge qu'il touait s'évanouit complètement. Quelques océanographes suggèrent qu'une trombe d'eau pourrait avoir changé l'océan en un grouffre blanc, et séparé le remorqueur de sa remorque. Le capitaine rejette ces explications. Il a suffi de douze minutes, par un bel après-midi au milieu d'un mystère des Caraïbes pour faire de lui, comme il l'avoue, « un bon croyant ».

Le Capitaine Don Henry, propriétaire d'une société de renflouage à Miami, le **Sea Phantom Exploration** Company, est l'un des témoins contemporains les mieux informés sur un événement étrange s'étant produit dans le soi-disant Triangle des Bermudes. Depuis qu'une force mystérieuse agit sur son remorqueur le Good News, en 1966, son ambition est d'explorer cette région au moyen d'appareils électroniques, même s'il sait qu'il lui faudra au moins 18 mois pour couvrir tout ce territoire et qu'il lui faudra des appareils spéciaux.

Au début de 1975, le Capitaine Don Henry raconta sa déconcertante aventure à la nation entière par le truchement de la télévision. Il participait alors à l'émission de David Susskind avec un groupe d'opinions divergentes sur le sujet. Charles Berlitz, l'auteur du livre « The Bermuda Triangle » était également présent à cette émission. Berlitz avait écrit l'aventure du Capitaine Henry qu'il identifiait comme un navigateur de nombreuses années d'expérience en mer, homme rude et excellent plongeur. Dans la cinquantaine, possédant une poitrine et des bras très puissants, il était extrêmement solide et musclé ; malgré son poids il pouvait se mouvoir avec légèreté et vitesse.

Dans le groupe, Don Henry était celui qui parlait avec le plus de franchise, qui avançait le moins d'hypothèses et dont la personnalité reflétait son penchant pour tout ce qui touchait la mer. Il raconta que le Good News était parti de Porto Rico et se dirigeait vers la région de Miami-Fort Lauderdale. Il avait 23 hommes d'équipage à bord en plus de lui-même. Le remorqueur tirait une lourde péniche depuis trois jours. Quand il arriva dans la zone du Triangle des Bermudes, il eut ce que le capitaine appela une bizarre expérience : « J'étais dans ma cabine tout près de la passerelle. Je voulais me reposer un peu car je venais de passer beaucoup de temps sur le pont. C'est alors qu'il y eut tout à coup un grand remue-ménage à l'extérieur. J'entendais des hurlements et des cris, alors je suis sorti pour voir ce qui se passait.

« Le premier officier était sur la passerelle et me cria de regarder les compas. Je me dirigeai immédiatement vers le gyrocompas et constatai qu'il tournoyait dans le sens des aiguilles d'une horloge. Pour sa part, le compas magnétique semblait totalement détraqué. Jamais je n'avais vu rien de tel. Je sais qu'un compas peut tournoyer, mais jamais sur un bateau où l'accélération n'est pas suffisante pour favoriser une telle réaction. Le compas magnétique ne faisait que tourner et tourner. Un compas magnétique pointe vers le vrai nord, et non sur le pôle magnétique ; un gyro-compas développe son propre champ magnétique et pointe vers le nord.

Plus tard, nous avons vérifié si une source de pouvoir quelconque aurait pu influencer les compas. Nous n'avons rien trouvé. Nous surveillons sans cesse notre générateur afin d'éviter de telles choses. Le ciel était partiellement couvert, mais il n'y avait pas de cumulus. Les nuages flottaient très haut. Il n'y avait pas d'orage. Le temps était d'un calme plat.

« Je montai sur le pont pour voir autour. Il n'y avait plus d'horizon ; il n'y avait pas de ciel. Je ne pouvais voir où l'océan finissait et où le ciel commençait. On aurait dit qu'il n'y avait plus d'océan. C'est un ensemble. Je regardai l'eau et ce que je voyais était de l'écume, du lait. Le ciel était de la même couleur ; il n'y avait donc pas d'horizon, nulle ligne de démarcation comme il y en a toujours. De plus, la péniche que nous remorquions s'était envolée ! Nous n'avions ressenti aucune secousse. Le câble de remorquage était en place, tendu comme il devait l'être, mais il n'y avait pas de péniche. Si une péniche de cette grosseur avait rompu le câble, le remorqueur qui tirait de toute sa puissance se serait élancé en avant comme un chat ébouillanté.

« J'ai couru vers le pont arrière, descendit l'échelle qui menait au pont de remorquage et commençai à ramener le câble. Jamais je n'aurais pu tirer la péniche mais je voulais la sentir au bout du câble. Il y avait quelque chose au bout, c'était sûr.

« Quelques minutes se passent ... et voici la péniche de retour. Il n'y a pas de brouillard autour de nous, mais il semblait y en avoir autour de la péniche. Pourtant le ciel était clair. On pouvait voir sur une distance de onze milles avant que l'incident ne se produise. J'avais mis plein gaz, car la seule chose à laquelle je pouvais penser à ce moment-là était de m'éloigner au plus vite car je ne voulais pas devenir une autre statistique ! Donc, nous avons continué à aller de l'avant.

« Mais, on aurait dit que quelque chose nous tirait vers l'arrière alors que nous essayions d'avancer. J'ignorais ce que c'était et j'espérais que le câble de trois pouces et demi ne cède pas. Si vous connaissez la navigation le moindrement, vous savez toujours si votre bateau avance ou s'il est entravé. Il y a cette vibration qui est toujours présente et vous fait ressentir ce que le bateau est en train de faire. Il ne s'écoula que douze minutes entre mon arrivée sur la passerelle et le moment où je vis réapparaître la péniche.

« Je voulais savoir ce qui s'était produit. J'ai donc mis une chaloupe à la mer immédiatement après avoir quitté cet endroit et nous nous sommes rendus jusqu'à la péniche. Elle était chaude, beaucoup plus chaude qu'elle aurait dû l'être. Elle n'était pas brûlante, on pouvait la toucher. Mais elle était beaucoup plus chaude que normalement.

« Il y avait eu aussi une chute d'électricité pendant l'épisode. Nous ne pouvions plus communiquer par radio. Il n'y avait plus de lumière. Les générateurs fonctionnaient mais ne produisaient pas d'énergie. Rien. J'avais cinquante piles de lampes de poche qui avaient été vidées de toute leur énergie. Nous avons dû les jeter. Pourtant, je venais de me les procurer à Porto Rico. »

Monsieur Susskind, référant au Capitaine Henry en des termes comme vieux loup de mer par excellence, rude, initié et expert, demanda : « Croyez-vous qu'il s'est passé quelque chose d'extraordinaire ? »

Le capitaine répondit : « Diable ! j'ai eu une de ces frousses ! Mais, cela ne m'a pas empêché de retourner naviguer dans le coin. Si je ne l'avais pas fait, je n'aurais plus navigué nulle part ailleurs également. Cette aventure a fait de moi un croyant. Je veux me servir de ma propre compagnie pour faire enquête au moyen d'appareils électroniques.

« Tous mes hommes d'équipage, à l'exception de six qui dormaient, disent avoir vu la même chose que moi. C'est donc dire que 17 hommes qui étaient de quart affirment avoir vu ce que j'ai vu moi-même. »

Lorsqu'il cite le capitaine dans son livre, Monsieur Berlitz précise que l'incident est arrivé dans un endroit connu sous le nom de « La langue de l'Océan », gorge sous-marine du groupe des Bahamas où l'océan atteint près de 600 brasses de profondeur. La péniche qui était touée avait un poids de 2 500 tonnes. Le câble de remorquage était long de 1 000 pieds. Henry dit à Berlitz qu'il ne connaissait

120

qu'un autre endroit où un phénomène semblable s'était produit et que c'était sur le fleuve Saint-Laurent près de Kingston, Canada, où les compas s'affolent à cause d'un large dépôt de fer ou d'une météorite. De plus, pendant la panne d'électricité à bord du Good News, le remorqueur ne pouvait plus recevoir d'énergie de son générateur et l'ingénieur de bord essaya sans succès de faire partir un générateur auxiliaire, « . . . il ne pouvait produire la moindre étincelle ! »

Joe Talley, capitaine d'un bateau de pêche aux requins, le Wild Goose, dut faire face à une situation inverse dans cette même zone de la Langue de l'Océan. Son bateau était toué par le Caicos Trader. Voici comment Berlitz décrit la situation : « C'était le soir et le Capitaine Talley dormait dans sa couchette sous les ponts. Il fut soudainement réveillé par une vague d'eau qui se précipita sur lui. D'un geste automatique, il aggrippa un gilet de sauvetage et se débattit pour atteindre un hublot ouvert. En sortant, il s'aperçut qu'il était sous l'eau. Il trouva un câble par hasard et le suivit jusqu'à la surface, une distance de 50 à 80 pieds. » Il semblerait qu'une force inexplicable ait attiré le Wild Goose sous l'eau. Voyant le danger de la situation, le bateau-remorqueur coupa le câble de remorquage. Mais il retourna vers le Wild Goose et put le sauver. Un membre de l'équipage du Caicos Trader disait qu'ils avaient vu le bateau de pêche s'engloutir comme s'il avait été pris dans un remous.

Ces deux incidents étranges n'ont presque rien en commun si ce n'est qu'ils eurent lieu tous deux dans la Langue de l'Océan et dans un cas ou l'autre, un bateau tiré par un autre était impliqué. Les divers éléments décrits par le Capitaine Henry nous portent à croire à une combinaison de force agissant ensemble pendant une période de temps relativement brève. La chute d'énergie, le tumulte de l'océan, le mauvais fonctionnement des compas sont les indices d'une association de faits extrêmement singulière.

La spontanéité du phénomène le rend difficile à analyser à l'aide de méthodes scientifiques comme le Capitaine Henry avait l'intention de faire. D'abord, dans tous les cas, y compris celui du Good News, des dépositions indépendantes des membres de l'équipage devraient former un dossier avec le journal de bord et autres documentations se rapportant aux genres et à l'état des deux bateaux. C'est à partir de là qu'une enquête véritable pourrait commencer.

Avant de faire l'étude d'une région donnée, comme la Langue de l'Océan par exemple, le premier pas à faire serait d'en mesurer les forces magnétiques ainsi que les autres. Il faudrait aussi connaître la structure géologique de base du lit de la mer et la nature des courants marins dans cet endroit en particulier, ainsi que les autres aspects pertinents, afin de mieux poursuivre les recherches dans cette direction. Il est bien sûr plus facile de s'attaquer à une zone plus restreinte du Triangle des Bermudes, comme cette gorge sous-marine, que de vouloir entreprendre des recherches dans toute une région géographique à la fois.

III

IDÉES FANTASQUES, CONJECTURES, ET CERTITUDES

15. LE TEMPS ET LE TRIANGLE

par James Raymond Wolfe

Plusieurs mystères du Triangle des Bermudes mettent en doute certaines de nos idées préconçues sur ce qui peut et ne peut pas arriver dans notre univers physique. Pourtant . . . est-ce vrai ?

L'homme a fait de grands pas dans la connaissance de la nature du cosmos dont il fait partie. Mais beaucoup de ses découvertes sont tellement éloignées d'expériences ordinaires qu'elles demeurent presque exclusivement la propriété du philosophe relativiste et du physicien des quanta. Elles sont pratiquement inconnues du commun des mortels.

Par exemple, comme la plupart des adultes, vous savez qu'il y a deux sortes d'électricité : positive et négative. Toutefois, pour le physicien de la demi-conduction, cela n'est pas vrai. Selon lui, l'électricité négative est la seule qui soit. Ce que vous nommez électricité positive n'est rien d'autre qu'une suite de trous dans l'espace-temps où l'électricité négative devrait être mais n'est pas !

De plus, ce physicien vous dira que si ce n'est pas là la vraie nature de l'électricité, les transistors dans votre chaîne stéréophonique ne fonctionnent tout simplement pas.

Dans ce monde étonnant de la physique contemporaine, la matière est plus une expérience qu'une substance ; les choses peuvent exister à deux endroits ou plus en même temps ; elles peuvent aller d'un endroit à l'autre sans traverser l'espace entre les deux endroits, et le temps lui-même peut se mettre à courir en sens inverse.

Notre prochain auteur, James Raymond Wolfe, s'intéresse particulièrement à de tels phénomènes. Après avoir complété ses études au Collège Loyola et à l'Université John Hopkins, Monsieur Wolfe donne des conférences sur les phénomènes paranormaux à l'Université Clark. Dans l'article qui suit, tiré d'un extrait d'un de ses cours, il nous faut voir la possibilité que des principes de physique peu connus soient à la base des mystères entourant le Triangle des Bermudes.

. . . Donc, nous venons de voir quelques-uns des paradoxes qui suggèrent que le temps n'est pas tout à fait la marche stable et inexorable que dit la tradition. Voyons si la littérature n'aurait pas des faits à l'appui de cet avancé.

Nous allons parler d'un phénomène qui est source de détresse pour les agences de voyage, une zone fabuleuse de vacances qui est accablée d'une calamité particulière. Les navires, les avions et les gens disparaissent dans son enceinte avec une fréquence inquiétante et jamais l'on ne retrouve trace d'eux.

Je veux parler d'une région située près de la côte sud-est américaine connue sous le nom du Triangle des Bermudes.

Le Triangle est dessiné de façons différentes par diverses autorités, mais la plupart s'accordent à dire qu'il comprend la zone à l'intérieur d'une ligne tracée de la Floride aux Bermudes, des Bermudes au sud de Porto Rico et, traversant les Bahamas, revient à la Floride.

Les événements mystérieux dans cette région, ont commencé avant même que le pays soit découvert ; quatre heures avant, pour être exact. Car, à 22h00, le 11 octobre 1492, Christophe Colomb et quelques autres, sur le pont du Santa Maria, regardèrent au-dessus de l'océan et virent une lueur qui ressemblait à la flamme d'une chandelle qu'on élevait et abaissait.

Les historiens ont un problème car cette lueur partait d'un endroit où nulle lueur n'aurait dû se trouver. L'océan à cet endroit a deux milles et demi de profondeur. La terre est à trente-cinq milles, ce qui élimine la possibilité de la présence d'un canot indigène. Il n'y avait que deux autres bateaux dans l'Hémisphère de l'Ouest à ce moment-là, et Colomb savait où ils étaient.

Quelle était donc cette lumière que lui et ses officiers virent ?

Restons-en là pour le moment. Nous y reviendrons plus tard. Parlons maintenant d'un mystère plus récent du Triangle.

Le Star Tiger était un avion de transport de la firme **British South American Airways**. Son itinéraire était comme suit : Londres, les Açores, les Bermudes, et finalement la Havane. La nuit du 29 au 30 janvier 1948, il faisait le parcours Açores-Bermudes.

A 22h30, le pilote, Capitaine David Colby, avisa la tour de Hamilton, Bermudes, qu'il était en retard d'une heure et demie à cause d'un très fort vent du front. Il dit qu'il arriverait à Hamilton à 01h00 et donna sa position, soit 440 milles au nord-est des Bermudes.

Mais 01h00 vint et passa. La tour de Hamilton ne pouvait entrer en contact avec le Star Tiger. On ne s'alarma pas outre mesure car l'avion avait assez de carburant pour continuer jusqu'à 03h15. De plus, l'avion était pressurisé et complètement étanche. S'il devait faire un amerrissage forcé, il flotterait jusqu'à ce que tous les passagers soient à bord de radeaux de sauvetage. Comme l'eau était à 65°F, même quelqu'un d'assez malchanceux pour y tomber ne gèlerait pas.

Les radeaux pneumatiques étaient munis de tout l'équipement standard pour indiquer la position et lancer des signaux de détresse : fusées, marqueurs colorant et transmetteurs de radio à manivelle qui transmettaient à basse fréquence sur la bande AM.

Malgré tout cela, et malgré les plus vastes recherches jamais entreprises dans toute l'histoire, soit 200 000 milles carrés, on ne revit plus jamais le Star Tiger ni ses trente-deux passagers. Un tribunal d'enquête mis sur pied par le Ministre de l'aviation civile britannique conclua qu'il ne pouvait rien faire d'autre que « d'émettre des possibilités, aucune n'atteignant le niveau de la probabilité. La vérité dans ce cas ne sera jamais connue. »

Il arriva toutefois quelque chose cinq nuits plus tard qui se rattache aux autres événements qui font partie des phénomènes paranormaux. Considéré d'abord comme canular, l'incident contient assez de preuves intrinsèques pour indiquer le contraire.

Toute la nuit du 3 février, des amateurs de T.S.F., de la Floride à Terre-Neuve, captaient des signaux qui épelaient s-t-a-r- et s-t-a-r-t-i-g-e-r. Les signaux cessèrent avant que l'on ne puisse en déterminer la provenance.

Ces signaux avaient quelque chose d'étrange. Premièrement, ils n'étaient pas en Morse international et ne faisaient pas usage des appels de détresse habituels, tels que SOS ou Mayday. Ils étaient envoyés selon un code dans lequel un son bref est la lettre A, deux sons brefs la lettre B, et ainsi de súite jusqu'à vingt points pour la lettre T.

De plus, même s'ils étaient envoyés à l'aide du télégraphe, ils étaient transmis sur la bande utilisée pour les transmissions verbales.

On verrait ici le cas d'une personne en détresse, ne sachant pas le code et ne connaissant pas les signaux conventionnels et l'équipement de radio, qui aurait branché la fiche dans la mauvaise prise du radio transmetteur, envoyant le seul code de détresse auquel elle pouvait penser.

Était-ce un survivant du Star Tiger ?

Voyons d'abord ce que dirent les autorités de l'aviation. Tous étaient d'accord sur le point que, fut-il des plus étanches, il était impossible que l'avion ait flotté cinq jours. Ils étaient également d'accord sur un autre point : le lourd équipement de radio du Star Tiger n'aurait pu être transporté dans un canot de sauvetage.

Or, l'avion ne flottait pas et l'équipement de radio n'était pas à bord d'un radeau de sauvetage. Comme les recherches s'étaient faites sur terre aussi, on avait la certitude qu'il ne s'était pas écrasé sur une plage.

Donc, la preuve suggère que le Star Tiger, qui n'était ni sur terre, ni sur mer, ni dans les airs, s'il faut en croire son équipement radio, était quelque part dans l'espace-temps, intact.

Très bien. Laissons ce cas de côté pour quelques minutes et prenons un cas analogue qui s'est produit à Gallatin, Tennessee, soixante-huit ans auparavant.

David Lang était un fermier marié qui avait deux enfants, garçon et fille. Tard dans l'après-midi, le 23 septembre 1880, il était assis sur la véranda avec sa famille. Sur la route, en pleine vue de toute la famille, deux amis passèrent en cabriolet. Eux-mêmes pouvaient voir Lang et sa famille.

Lang se leva pour ramener les chevaux d'un pâturage sans arbres et dont l'herbe était coupée très courte.

Alors qu'il traversait le pâturage, devant les yeux des cinq témoins, il disparut tout simplement !

Une minute il est là, et . . . une autre il n'y est plus ! Pffuit ! parti.

Une enquête d'un mois, au cours de laquelle on sonda le terrain pour voir s'il y avait des trous cachés, s'avéra inutile. On ne revit plus jamais Lang.

Puis, au début du mois d'août de l'année suivante, les enfants de Lang marchaient dans le pâturage. Comme ils passaient près de l'endroit où Lang avait disparu, la fillette s'écria : « Papa, êtes-vous quelque part ici ? »

Et on entendit la voix de Lang, comme si elle était très lointaine : « À l'aide ! »

Les enfants appelèrent leur mère et elle aussi appela son mari. La voix de Lang fut entendue de façon répétée durant les trois jours suivants, criant continuellement à l'aide.

Personne ne pouvait dire de quelle direction provenait la voix, mais tous furent unanimes à dire qu'elle semblait s'éloigner. Finalement, on ne l'entendit plus.

Il y eut plusieurs autres cas comme celui-ci. J'ai lu le compte rendu d'un cas semblable arrivé quelques années après celui de Lang. Aux environs de Londres, les hommes de Scotland Yard entendirent la voix d'une fillette disparue pleurer et dire qu'elle ne pouvait retrouver le trou.

Et que penser du cas des « **Enfants Verts** » raconté par Ralph de Coggeshall en l'an 1207 ? Selon le **Chronicon Anglicarum** de Coggeshall, deux enfants trouvés à Norfolk, Angleterre, affirmaient avoir émergé dans ce monde-ci par un trou qu'ils ne pouvaient plus retrouver. Dans leur monde, disaient-ils, c'était toujours le crépuscule. Ceci nous porte à croire qu'ils arrivaient d'une planète à haute altitude qui ne penchait pas sur son axe comme les planètes de notre système solaire.

Voyons maintenant l'analogie entre les deux cas, celui de Lang et celui du Star Tiger. En premier lieu, la disparition. Ensuite un signal ou une voix est entendue longtemps après qu'il fut physiquement possible d'envoyer un tel signal ou de faire entendre sa voix. Ceci veut dire que le Star Tiger ne peut avoir survécu, et Lang serait certainement mort de faim. Mais voyons comment on peut interpréter ces cas en termes de temps.

Nous avons vu plus tôt qu'il y a différentes façons de considérer le temps. Mais pour nos présents besoins, restons simples et restreignons nous au concept du temps comme une dimension de durée. Encore plus simple, appelons-le la distance entre deux événements.

Voyons le cas de Lang. La distance normale de durée entre septembre 1880 et août 1881 est de onze mois. Supposons que pour Lang, la durée cessa un instant et que la distance entre septembre et août fut réduite à zéro.

Dans ce cas, sa femme et ses enfants l'auraient entendu s'écrier à l'aide au moment qui était pour lui celui de son malheur, mais qui était pour eux la fin d'une période de onze mois.

Nous pouvons illustrer ce fait à l'aide d'une figure de topologie, la boucle de Moebius. Nous prenons une bande de papier, lui donnons une demi-torsion et collons les bouts ensemble. Maintenant, nous indiquons d'un X l'endroit où étaient Lang et sa famille en septembre 1880.

À l'aide d'un crayon, nous traçons soigneusement une ligne parallèle aux deux côtés, faisant la moitié de la bande de papier jusqu'à ce que nous arrivions directement sous le X. Nous appellerons cette trace au crayon onze mois. Maintenant, à l'aide d'une épingle, nous perçons un trou dans le papier où est le X.

La ligne tracée au crayon représente la route prise par la famille Lang au cours des onze mois et les amène relativement au même endroit dans l'espace même si cela représente un parcours le long de la voie de durée. Le trou d'épingle représente la voie de Lang.

Pour être vu, notre papier doit être fait de substance. Mais supposons qu'il soit infiniment mince. Alors le parcours de Lang à travers le temps, mais dans le même espace, est de zéro. Mais le parcours de sa famille est de onze mois. Leur trace, toutefois, est à angle droit de la sienne. S'il se meut encore, il s'éloigne d'eux dans le temps, même s'il est encore dans le même espace.

On peut difficilement le visualiser, mais je vous demande d'imaginer que l'espace tri-dimensionnel vient de subir un demi-tour, comme nous l'avons fait avec le papier. Lang ne fit que tomber à travers la partie étroite de cet espace, la dimension de durée. Sa famille prit le long chemin.

Revenons maintenant au Star Tiger. Nous voyons que l'analogie tient. Nous pouvons assumer qu'il s'est écrasé dans la mer, mais dans une nouvelle direction de durée. Il est resté assez longtemps sur l'eau pour qu'un survivant puisse envoyer son message laborieux. Mais il ne savait pas qu'il était arrivé au 3 février en un instant, alors que pour les autres, cela prendrait cinq jours.

Le Star Tiger n'est pas le seul avion qui disparut dans des circonstances aussi inusitées. Onze mois plus tard, le 18 décembre 1948, un DC-3 nolisé disparut alors qu'il était visible de l'aéroport de Miami, venant tout juste de compléter un vol de San Juan, Porto Rico. Même si c'était au-dessus d'une eau peu profonde, on n'en trouva jamais de traces. Le Star Dust, avion de même type que le Star Tiger, disparut du ciel de la même façon à distance visible de l'aéroport de Santiago, Chili. Il transmit pour une dernière fois, douze minutes avant d'atterrir. Le Star Dust disparut un an après le Star Tiger.

Donc, si nous assumons qu'il y a eu déplacement de temps dans ces cas-ci, quelle en est la cause ?

Nous savons que la direction du temps peut changer. Par exemple, si la charge électrique de chaque particule subatomique d'un objet était renversée d'un coup, l'objet se retirerait de nous dans le temps, selon Richard P. Feynman de Cal Tech. Pour ses découvertes, il mérita la Médaille Einstein en 1953 et le Prix Nobel en

1965.

Malheureusement pour nous, les conditions sous lesquelles la réversion Feynman se produirait convertiraient également un objet en anti-matière. Au contact de matière ordinaire, les deux exploseraient en un jaillissement monstre de rayons gamma.

Mais il y a une autre possibilité. Un objet d'une masse imaginaire pourrait voyager plus vite que la lumière. Une telle masse imaginaire est un concept familier dans la théorie des quanta. Mais comment un avion pourrait-il être converti en masse imaginaire et en même temps être doté d'une accélération telle qu'il irait plus vite que la vitesse de la lumière ? Évidemment, cette idée même soulève plus de questions qu'elle n'en règle.

Ce qu'il nous faut, si nous voulons expliquer des événements tels qu'ils sont arrivés au Star Tiger et à David Lang, est quelque chose qui déforme l'espace-temps dans une zone limitée et pour une unité de temps extrêmement courte, pratiquement imaginaire.

Maintenant, j'admets que ce que je vais dire n'est que pure spéculation de ma part. Pourtant cela reste dans les limites des probabilités de la physique des quanta.

La terre est continuellement bombardée par des particules venant de l'espace. Je ne sais pas combien de genres ont été identifiés, mais quelques-unes présentent des caractéristiques assez particulières. Voyons le neutrino comme exemple, avec sa charge zéro, zéro de masse au repos et aucune réaction à la gravité. Ses caractéristiques physiques sont pratiquement nulles. Pourtant, il existe en grandes quantités.

Je serais d'avis que si une particule, ou une aggrégation de particules, voyageait à un cheveu de la vitesse de la lumière, leur masse approcherait donc l'infini. Une aggrégation de telles particules serait excessivement petite car elle serait rétrécie par les champs de gravité massifs de ces composantes.

La transition d'une telle particule à travers l'espace-temps nous donnerait le ruban de Moebius dont nous parlions, en conformité avec la théorie d'Einstein sur la gravité, que plus grande est la masse, plus grande sera la distorsion dans l'espace-temps ambiant.

Avec une particule presque infiniment petite, ayant une masse presque infinie, le volume de l'espace déformé serait petit, de même que la dimension du temps. Mais nous n'avons pas besoin d'une grande distorsion de temps, tout juste ce qu'il nous faut pour envoyer la cible un peu plus en avant de nous sur la ligne du temps. Ou peut-être, un peu derrière nous.

Si de telles particules nous criblent quelquefois venant de l'espace, les lois de la probabilité nous disent qu'une ou quelques-unes d'entre elles toucheront inévitablement un avion, un navire ou une personne, les catapultant hors de leur orbite de temps.

Je ne serais pas surpris que cela soit ce qui arrive dans le Triangle des Bermudes. Et dans d'autres endroits de la terre également.

Refermons le cercle avec la lumière de Colomb...

Ne pouvez-vous pas imaginer un pauvre survivant d'un écrasement d'avion, condamné, recroquevillé dans son canot de sauvetage, élevant et abaissant alternativement son briquet à l'épreuve de l'eau afin de mieux voir si la lueur n'atteindra pas ces trois étranges vaisseaux qui ressemblent tellement aux images du Pinta, du Nina et du Santa Maria dans les livres d'histoire ?

16. LE TRIANGLE CONDUIT-IL
VERS UN TROU NOIR ?

par Joseph F. Goodavage

Ceux qui disparaissent dans le Triangle des Bermudes sont-ils comme des poissons que l'on puise dans un aquarium ? Sont-ils aspirés dans un « Trou noir », dernière et plus terrifiante découverte de l'astronomie moderne ? Monsieur Goodavage nous fait part de la disparition inexplicable de certains individus et démontre que leur acheminement vers leur destin est peut-être ce qui règne sur le mystère du Triangle lui-même. Il suppose l'existence d'infiniment petites anomalies de la gravitation et que certaines personnes seraient entraînées dans ces régions et aspirées dans « une autre partie de l'univers ou une autre dimension. » Joseph F. Goodavage est un ancien journaliste et auteur de plusieurs ouvrages comme *Astrology: The Space-Age Science et Write Your Own Horoscope.*

La puissance qui se cache derrière toutes ces disparitions dans l'Océan Atlantique, choisit-elle ses victimes ? Si non, pourquoi tous les bateaux et avions qui survolent ou traversent le prétendu Triangle des Bermudes ne disparaissent-ils pas ? N'est-il pas possible que ces disparitions ne se produisent que lorsqu'il y a rencontre de forces ou d'énergies inconnues ? Il pourrait s'agir d'un nouveau genre d'anomalie de la gravitation dont la source serait une combinaison de force extra-terrestre qui se ferait sentir sur les objets matériels et influencerait les facultés psychiques et mentales de l'être humain.

Le corps humain également.

Passe encore lorsque des bateaux et des avions disparaissent. Cependant lorsque ces bateaux sont retrouvés intacts, mais sans la moindre trace de leurs passagers ou de leur équipage, c'est une toute autre histoire. Cette situation s'est reproduite à plusieurs reprises dans plusieurs parties du monde, et des documents sont là pour le prouver. Il pourrait s'agir d'une loi absolument ahurissante de la nature, ou de quelque chose encore plus étonnant.

S'il s'agit d'une loi naturelle que nous ne connaissons pas encore, cette loi semble entretenir des rapports étroits avec certaines lois de la gravité dont nous ne soupçonnions pas l'existence et qui viendraient s'ajouter à la puissance ou à l'énergie dont dépendent les communications télépathiques (pas nécessairement humaines). Selon tous les indices, les deux phénomènes dépendent l'un de l'autre.

Au cours de cet exposé, nous parlerons surtout de la disparition d'êtres humains, seuls ou après que leurs vaisseaux abandonnés aient été retrouvés. Disparitions que la logique ne peut expliquer.

Le physicien Pascal Jordan, prix Nobel et proche collaborateur d'Albert Einstein, disait : « Il y a des rapports très étroits entre la gravité et la force, ou énergie, qui agit sur la télépathie. » Existe-t-il « une harmonie télépathique » entre ceux qui sont disparus dans le Triangle des Bermudes, ou ailleurs, en présence d'une quelconque anomalie de la gravitation ? Dans ce cas, l'équation est peut-être encore plus complexe à cause de certaines quantités variables « fantasques », comme le mouvement constant des planètes qui déplace sans cesse le centre de gravité de notre système solaire.

Normalement, l'action réciproque des planètes sur le Soleil serait infinitésimale, quasi insignifiante, à cause de ses dimensions prodigieuses et de son emprise. Mais, quand des géants comme Jupiter et Saturne sont en ligne d'un côté du Soleil, particulièrement lorsque d'autres grosses planètes sont à l'opposé, d'énormes tourbillons magnétiques déchirent la photosphère et nous apparaissent souvent comme des taches sur le soleil ou des explosions solaires.

Il arrive que le centre de gravité de tout le système se trouve au cœur du soleil. Le centre de gravité peut aussi se déplacer à des vitesses fantastiques, à des profondeurs de 300 000 milles ou plus, à l'intérieur de la masse du soleil, ou fendre la photosphère pour s'élancer dans l'espace, engouffrant souvent les petites planètes. Ceci est l'explication « méchanicienne » de la gravité et de son action réciproque soleil-planètes qui, soit dit en passant, affecte le climat sur terre, les activités sismiques et volcaniques, ainsi que notre façon de penser, de sentir et d'agir. Cependant, il existe un autre lien plus subtil entre la gravité (ou, d'après certains hommes de science, nouvelles particules appelées « gravitons », c'est-à-dire « trous noirs miniatures ») et la télépathie.

Selon Pascal Jordan : « La gravité et la télépathie ont ceci en commun : leur champ d'action ne connaît pas de frontières ni d'obstacles. » Dans le moment, nous ne pouvons qu'émettre des hypothèses sur l'état émotif et psychique de ceux qui sont disparus de notre monde.

En décembre 1920, le cinq-mâts américain de 3 500 tonnes Carroll A. Deering leva l'ancre à Portland, Maine, pour se diriger vers Rio de Janeiro. Il avait l'habitude de faire la navette entre Portland et la Barbade, et nul ne fut surpris de le voir partir si loin au sud.

Revenant avec une nouvelle cargaison, il devait faire escale à la Barbade et se rendre jusqu'à Norfolk, Virginie. Le 29 janvier suivant, le maître à bord du Deering, le capitaine Willis B. Wormwell communiqua avec le bateau-phare de Cape Lookout, au large de la Caroline du Nord, et demanda que l'on informe la Société G. G. Deering à Portland que la goélette avait perdu ses deux ancres. D'autre part, le Carroll A. Deering semblait en excellente forme et filait à cinq noeuds environ.

Deux jours plus tard, le 31 janvier, quelqu'un le découvrit échoué sur le rivage à quelques milles du bateau-phare. Son équipage de douze officiers et matelots était disparu sans laisser de traces. Les autorités de Diamond Shoals qui montèrent à bord trouvèrent des signes que les hommes avaient abandonné le bateau en vitesse, mais sans raison apparente. Les voiles étaient déployées et la cargaison intacte, mais le youyou et le canot de sauvetage, ainsi que la plupart des vêtements, provisions et marchandises étaient partis.

Après des recherches de 70 jours, les Gardes-côtes n'avaient encore rien trouvé : ni homme, ni naufrage. À la suite d'un message trouvé dans une bouteille par Christopher C. Ray, le 11 avril 1921, à Buxton Beach, Caroline du Nord, une enquête sur la disparition de l'équipage du Carroll A. Deering fut amorcée par cinq branches du gouvernement fédéral : le Ministère d'État, le Ministère du Trésor, le Ministère de la Marine, le Ministère du Commerce et le Ministère de la Justice.

Le message ? Une note anonyme que l'on crut avoir été écrite par le second du Deering, l'ingénieur Henry Bates : « Le Deering a été fait prisonnier par . . . quelque chose comme un chasseur. Ils ont tout pris. Équipage caché par tout le bateau. Aucune chance d'évasion. Prière d'aviser armateur du Deering. »

Si l'équipage terrifié a été capturé par un vaisseau plus grand, pourquoi emporta-t-on les canots de sauvetage ?

De tels incidents se produisent à travers le monde et sont trop nombreux pour n'être que des fruits de l'imagination. Ils sont bel et bien vrais, mais à moins que nous n'admettions comme possible quelque propriété inconnue de nos lois naturelles, nous ne trouverons jamais d'explication raisonnable.

C'est l'évidence même que rien ne peut être, ni objet ni situation, sans la volonté des lois universelles. Il s'ensuit donc qu'il se cache une cause encore inconnue derrière ses bizarres disparitions de bateaux, d'avions et d'êtres humains. Il s'ensuit également que le potentiel psychique de l'homme, son intellect, sa capacité de haïr, d'aimer, d'attaquer et de craindre, sont des éléments conscients de la création. L'esprit humain et ses émotions, puisqu'ils existent, font partie intégrante de l'univers au même titre que le corps et le cerveau.

Individuellement et collectivement, les émotions et les pensées subissent l'influence de notre environnement terrestre et cosmique. Réciproquement, il est exact que nos émotions et pensées, bien qu'elles soient « intangibles », exercent une profonde influence sur ce même environnement.

Le savant britannique James Lovelock fut à tel point frappé par les photographies de notre environnement terrestre prises par satellittes, qu'il en dériva une fantastique théorie. L'atmosphère bleue de la terre, dit-il : « fait partie d'un organisme vivant . . . comme la coquille d'un escargot. »

Au lieu de supposer que l'environnement contrôle toute vie sur terre et décide quelle espèce survivra et quelle autre disparaîtra, Lo-» velock renversa ce concept et découvrit « l'hypothèse de Gaïa, » ainsi nommée d'après la déesse de la Terre des anciens grecs. Les formes de vie ne s'adaptent pas au milieu planétaire, affirmait Lovelock, mais elles arrangent et contrôlent ce milieu afin d'assurer leur survie !

Venant de la part d'un **Fellow** de la **Royal Society**, âgé de 56 ans, cette affirmation étonnait, mais son auteur avait rassemblé assez de faits pour la soutenir. « Il me semble que la biosphère, ou l'ensemble de toute vie sur terre, est capable de contrôler psychiquement la température de la terre et la composition de l'atmosphère . . . Toute matière vivante, l'air, les océans et les continents font partie d'un système gigantesque, 'Gaïa', qui agit comme un organisme unique ; une créature vivante, même. »

L'idée n'était pas tout à fait nouvelle,, mais assez révolutionnaire pour notre époque. Benjamin Franklin croyait et enseignait que la terre était une entité vivante de même que toutes les autres planètes. Il exhortait ses auditeurs à « ne priez seulement que votre divinité locale, le Soleil. » La vie serait impossible partout dans le système solaire sans la présence dynamique de notre étoile locale ; la vie, comme nous la connaissons, serait impossible sur terre sans la protection de sa couverture atmosphérique, l'eau des océans et les forces de gravitation.

Nous connaissons très peu nos forces de gravitation et nos champs magnétiques. Dans certains endroits, pour des raisons encore obscures, il semble que les forces psychiques se mêlent aux forces de gravitation pour créer un tourbillon de téléportation. En 1889, près des avenues Baltic et Florida à Atlantic City, New Jersey, des douzaines de témoins oculaires virent un homme s'envoler vers le ciel en battant des jambes et des bras. Les badauds ne pouvaient que regarder et écouter avec horreur pendant que l'homme criait sans arrêt : « Lâchez-moi ! »

À quelques milles de Gallatin, Tennessee, par un après-midi ensoleillé du 23 septembre 1880, David Lang partit de sa maison pour traverser un pâturage de quarante acres afin d'aller voir deux de ses chevaux. Ses deux enfants, Sarah, 11 ans, et George, 8 ans, s'amusaient avec des jouets que leur père avait rapporté de Nashville. La cuisinière et les serviteurs travaillaient à l'intérieur de la maison.

« Dépêche-toi, Dave, » cria sa femme, « je veux que tu me conduises en ville avant la fermeture des magasins. » Lang s'arrêta près de la clôture, consulta sa montre et répondit : « Je reviens dans quelques minutes ! »

En traversant le champ, il salua de la main deux amis, le juge August Peck et son beau-frère qui arrivaient en voiture dans la longue allée qui menait à la maison. Les yeux de cinq personnes étaient fixés sur David Lang quand il disparut dans l'air pur et ne revint jamais.

Madame Lang criait d'épouvante ; les enfants étaient muets d'incompréhension. Le juge Peck et son beau-frère sautèrent de la voiture et coururent dans le champ, suivis de madame Lang et de ses enfants. Ils examinèrent le sol attentivement à plusieurs reprises ; il n'y avait ni arbres ni arbustes, ni trous ni ravins pour expliquer comment l'homme s'était envolé.

Madame Lang devint hystérique et on la conduisit à la maison. Une servante se mit alors à faire sonner une grosse cloche qui se trouvait dans la cour et les voisins accoururent. Pendant que le soleil baissait, des dizaines de personnes munies de lanternes fouillèrent le terrain pouce par pouce. Ils sautèrent et piquèrent dans l'espoir de trouver le trou par lequel Lang serait passé.

En vain. Une seconde vous le voyez, une autre seconde et Lang n'est plus là ! Au cours des discussions durant les semaines suivantes, tous les témoins de ce bizarre incident révélèrent qu'ils avaient tous vu la même chose se produire au même moment et à la même place, mais pourtant aucun d'eux ne fut touché. Un géographe régional examina le sol à l'endroit exact où Lang était disparu et rapporta que le terrain reposait sur une couche épaisse de pierre calcaire. Il n'y avait pas de trous ni de cavernes.

Madame Lang vécut longtemps par la suite, nourrissant l'espoir que son mari reviendrait un jour. Il ne revint jamais.

Quelques mois plus tard, un soir tiède de 1881, les deux enfants de Lang se rendirent compte que là où leur père s'était évanoui, il y avait un cerne de quinze pieds de gazon jaunâtre et rabougri. Puis, alors qu'elle se tenait près du cercle, Sarah appela son père. Les enfants disent qu'ils entendirent sa voix qui faiblement et à plusieurs reprises demanda de l'aide. Ensuite, la voix diminua et se tut pour toujours.

« J'ai beaucoup d'information sur la disparition d'êtres humains », écrivait Charles Fort dans son livre **New Lands.** « J'ai aussi des renseignements sur la chute de matières organiques en provenance du ciel. Parce que je suis au courant de plusieurs dossiers, il ne me semble pas plus difficile de croire à l'existence d'une multitude de créatures vivantes dans un ciel qui nous semble inoccupé, que de croire que la vie fourmille dans les fonds blancs de la mer. J'ai beaucoup de notes sur la phosphorescence qui serait une condition électrique ou magnétique des objets qui tombent de l'espace . . . »

La plupart de ces cas reconnus de disparitions sont ceux d'individus solitaires, à l'exception de ces bateaux que l'on a retrouvés à la dérive en pleine mer, la table mise et le café encore chaud, mais sans officier et hommes d'équipage, ni d'indices pour expliquer ce qui s'était passé.

La nature sélective de cette force, ou entité, est des plus terrifiantes.

Toutefois, il est rare que trente ou quarante personnes à la fois disparaissent sur terre. Ceci arriva par un jour cru de novembre 1930, quand Joe Labelle le Trappeur, s'approcha d'un village esquimau situé à environ 500 milles au nord de la base de la Gendarmerie royale du Churchill. Un vent glacial soufflait du lac Anjikuni et frappait les peaux d'animaux accrochées aux portes ouvertes des habitations. Les habitants du village étaient ses amis depuis longtemps et il avait fait un détour de plusieurs milles pour faire une courte visite chez ses amis.

Un silence inquiétant accueillit ses premiers cris de salutation. Il s'arrêta et cria encore au fur et à mesure qu'il avançait. Pas de réponse. Joe conduisit ses chiens jusqu'à la première hutte, poussa la peau de caribou dans la porte.

Il n'y avait personne à l'intérieur. Il en était de même partout dans le village. Il ne pouvait absolument pas croire qu'aucun homme, femme ou enfant ne soit là pour monter la garde de cette région désolée. Il trouva des pots d'aliments suspendus au-dessus de feux éteints depuis des mois. De même que sur les navires abandonnés, le repas était prêt mais on n'y avait jamais touché. Perplexe, Joe se promena dans le village sinistre pour essayer de trouver des indices sur le sort des villageois. Il trouva des vêtements en peau de phoque où était encore piquée l'aiguille d'ivoire que la mère avait dû abandonner subitement . . . pourquoi ?

Le mystère demeurait entier. Plusieurs kayaks gisaient sur la plage et il reconnut celui du Chef. Ils avaient été abandonnés depuis longtemps et rendus inutilisables par les éléments. Mais le fait le plus stupéfiant de tous était que les biens les plus précieux des esquimaux, leurs fusils, étaient stoïquement appuyés aux embrasures des huttes et des tentes vides.

Joe rapporta l'incident et les agents de la Gendarmerie savaient au départ qu'aucun esquimau en pleine possession de ses facultés n'entreprendrait une longue excursion sans son fusil, car dans le Grand Nord, c'est souvent ce qui fait la différence entre vivre et mourir. Pourtant, tous ces fusils abandonnés ! Qu'était-il arrivé à ces hommes ? Où étaient leurs gros chiens musclés, aussi importants que leurs fusils dans ce territoire glacé, sinon plus ?

Quand la Gendarmerie arriva sur place, les agents trouvèrent sept chiens attachés à des vieilles souches d'arbres et qui étaient morts de faim comme on le constata plus tard. Les pathologistes et les autres experts que l'on avait mandés, passèrent deux semaines sur place pour examiner tout ce qui leur tomba sous la main. Des baies trouvées dans les pots à cuisson indiquaient que lorsque Joe Labelle arriva au village, les Esquimaux étaient déjà partis depuis deux mois environ.

Le mystère était rendu encore plus exaspérant par la disparition d'un cadavre de l'un des tombeaux construits par les Esquimaux ; un cairn de pierres situé du côté du village opposé à celui où se trouvaient les carcasses des chiens morts de faim. Il est impensable de croire que les Esquimaux sont des voleurs de tombeaux, mais les pierres enlevées étaient entassées les unes sur les autres avec soin, en deux piles. Aucun animal n'aurait agit de la sorte. Alors, qui, ou quoi, fut responsable du départ précipité des habitants du village ?

Il ne faisait pas de doute qu'une immense surprise s'empara d'eux. Si par hasard ils subirent un attrait irrésistible vers l'inconnu au cours des premiers jours de l'hiver, les meilleurs pisteurs n'en purent trouver de traces autour du village. Les kayaks en ruine étaient la preuve muette qu'ils n'étaient pas partis par le Lac Anjikuni. Mais ils partirent, ou furent transportés, si brusquement qu'ils laissèrent leurs chiens, fusils, vêtements, kayaks et même la nourriture sur le feu. Sans oublier le tombeau qui avait été violé.

Huit mois d'une investigation pénible et patiente qui rayonna des milles à la ronde, ne purent aider à retrouver un seul individu qui aurait vécu dans le village abandonné et maintenant désolé du lac Anjikuni.

La découverte récente de nouvelles particules sous-atomiques, les « psi » et les « j », nous porte à croire qu'il existe une nouvelle série complète de ces particules. L'une d'elle que l'on a tentativement appelée « graviton » est à la source des spéculations scientifiques les plus incroyables dans l'histoire de l'humanité. Prenant comme modèle l'existence des « trous noirs » (étoiles dépourvues de toute gravité et si denses que rien, pas même la lumière, ne peut s'en échapper), les hommes de science des installations « accélérateur de particules » croient en l'existence de trous noirs sous-atomiques, c'est-à-dire de particules très minimes mais d'une densité si incroyable qu'elles attirent d'autres matériaux à l'intérieur d'elles-mêmes !

Si jamais l'on en vient à prouver l'existence de ces trous noirs sous-microscopiques, notre conception toute entière de l'univers micro-cosmique et macro-cosmique en sera bouleversée. Ces anomalies infiniment petites de la gravitation pourraient exister à l'état unique ou en grands nombres. Elles auraient par exemple des effets marquants sur l'habileté des sourciers. Avant sa mort, John G. Shelley de Lewiston, Maine, président de **The American Society of Dowsers**, disait : « La radiesthésie n'a aucune explication scientifique, mais je suis raisonnablement convaincu qu'il y a une relation quelconque entre l'esprit ou les pensées du sourcier et les forces de gravitation de la Terre et son champ électromagnétique. »

Edgar Mitchell, l'ex-astronaute qui fut soumis avec succès à une série d'expériences télépathiques avec le medium Olaf Jonsson, alors qu'il revenait de la Lune, constata que ses capacités psychiques étaient meilleures à gravité zéro. Un autre astronaute, James Irwin, se rendit compte également que la diminution considérable des forces de la gravitation sur la surface lunaire était propice aux phénomènes de télépathie. Soulignons en passant que depuis ce temps-là Olaf Jonsson a exercé ses remarquables talents dans la région du Triangle des Bermudes pour trouver l'emplacement exact d'une lourde chaîne d'or évaluée à $200 000. De plus, au cours d'une démonstration précédente de la puissance renversante de ses facultés psychiques, il guida des plongeurs professionnels vers un trésor de $300 000 qui gisait au fond de l'Océan Atlantique depuis 1962. Il est présentement sur la piste de la fortune fabuleuse de $600 millions qui coula en même temps qu'une flotte espagnole, cent milles environ à l'est de Key West, Floride.

Lorsqu'il arrive que des navires ou des avions sont portés disparus, même si l'on ne retrouve pas de traces de naufrage ni de débris, il est normal de conclure qu'ils ont été victimes d'un désastre purement naturel et qu'ils ont coulé par le fond avec leur équipage. Mais, comme ce fut le cas pour le Carroll A. Deering et d'autres bateaux également, si le navire est retrouvé plus tard intact mais abandonné . . . ?

Le Mary Celeste est un cas digne de mention. Il fut retrouvé à la dérive, durant l'après-midi du 5 décembre 1872, par le capitaine d'un brigantin britannique qui était parti de New York et faisait route vers Gibraltar en passant entre les Açores et le Portugal. Le capitaine Morehouse du Dei Gratia envoya trois matelots à bord du Mary Celeste afin de lui venir en aide. N'y comprenant rien, les hommes racontèrent une heure plus tard qu'il n'y avait pas âme qui vive à bord : tout l'équipage, y compris un chat, s'était envolé. Le compas était brisé, toutes les écoutilles étaient grandes ouvertes, les chaloupes de sauvetage étaient toutes parties et la roue en liberté tournait gaiement. Le livre de navigation, le sextant et le chronomètre brillaient par leur absence. La cuisine était propre et en ordre. Une cargaison de près de deux cents barils d'alcool reposait dans la cale.

Les effets personnels furent également retrouvés en bon ordre. On n'avait pas touché aux possessions des matelots. Dans la cabine du capitaine, on retrouva ses bouquins, son imperméable et sa pipe sur le plancher près de sa couchette. Les cases de l'équipage contenaient des sommes considérables d'argent et des objets de valeur. Selon la dernière inscription sur le journal de bord retrouvé dans la cabine du seccond, le Mary Celeste se trouvait à moins de six milles de l'île Santa Maria dans les Açores à 08 heures ce matin-là.

Pour une raison fort mystérieuse, on l'avait abandonné rapidement, forcément peut-être, entre 08 heures et midi.

Plus près de nous, le 3 février 1940, la goélette de 125 pieds, Gloria Colite, en provenance de Saint-Vincent, Antilles, fut aperçue par un cutter des gardes-côtes américaines, le Cardigan, à environ 150 milles au sud de Mobile, Alabama. Le capitaine et son équipage étaient disparus sans explication, et le Gloria Colite flottait sans but. Sa voilure d'avant était dans un très mauvais état ; il avait perdu son grand'voile, son gouvernail et ses agrès ; la couverture du pont avait été arrachée. Le Cardigan le toua jusqu'à Mobile et là, une investigation complète eut lieu, mais sans succès.

Le 22 octobre 1944, le cargo cubain de 90 tonnes Rubicon fut trouvé à la dérive par un dirigeable de la Navy, dans le Gulf Stream à environ quarante milles au sud-est de Key Largo. Le dirigeable d'observation avertit le Garde-côte et deux bateaux furent envoyés pour faire enquête. Lorsque les gardes-côtes arrivèrent sur les lieux, ils trouvèrent l'épave du Rubicon à la remorque d'un bananier américain. Les quatre navires se dirigèrent sur Miami et accostèrent au quai de quarantaine.

Les recherches de la Navy démontrèrent que la dernière inscription dans le journal de bord du navire portait la date du 26 septembre quand il avait fait escale à la Havane, près d'un mois auparavant. Soit une distance de seulement 200 milles à l'endroit où il fut trouvé. Un chien affamé était la seule créature vivante à bord. Aucune hypothèse, plausible ou non, ne fut émise au sujet de la disparition du capitaine et de l'équipage du Rubicon.

Et ainsi de suite . . . la situation continue. Il y a des chances que l'incident célèbre de la disparition, le 5 décembre 1945, des cinq avions torpilleurs TMB Avengers de la base aéronavale de Fort Lauderdale, Floride, fut précédé de la disparition des pilotes de leur cokpit. L'hydravion parti à leur recherche disparut également avec tout son équipage, dans les limbes des avions, des hommes et des bateaux perdus.

Les émotions et l'esprit humain sont affectés par toute variation des forces de gravitation ; il en est de même des objets matériels. On a émis l'hypothèse que les sources de gravité les plus puissantes de l'univers, c'est-à-dire les **trous noirs**, sont des voies colossales qui mènent vers d'autres univers ou d'autres dimensions.

Quelque chose qui leur ressemble, mais de proportions infiniment réduites, pourrait exister dans notre système planétaire, et même ici sur la Terre. Ce n'est peut-être qu'un phénomène naturel parfaitement normal, mais qui dépasse notre compréhension scientifique actuelle.

Ou . . . il s'agit peut-être de forces artificielles aux mains d'êtres pourvus d'intelligence qui se servent de ces forces pour des motifs insondables.

(Qu'est-ce qu'un poisson rouge peut bien ressentir lorsqu'il se sent enlevé de son aquarium ?)

17. « UNE RÉGION IMAGINAIRE... »

selon une déclaration
de la Défense côtière des États-Unis

Les gardes-côtes américains forment l'agence responsable de surveiller la haute mer. Ses enquêtes sur un bon nombre de disparitions mystérieuses de bateaux dans la région du Triangle des Bermudes sont à l'origine de plusieurs conjectures sur les éléments et les causes de ces catastrophes. Mais, que pense la Garde-côte elle-même de l'historique et de la valeur de ces rapports, ainsi que des nombreuses interprétations qu'ils suscitèrent ? Ce qui suit est le texte d'un mémorandum distribué par la Défense côtière des États-Unis ; seules les allusions biographiques ont été omises car elles n'étaient que la répétition des notes bibliographiques que le lecteur pourra consulter à la fin de ce livre.

Le « Triangle des Bermudes, ou du Diable » est une région imaginaire située dans l'Atlantique au large de la côte sud-est des États-Unis. Cette région est devenue notoire à cause de sa haute fréquence de pertes inexplicables de bateaux, petites embarcations et avions. Les trois sommets du triangle sont généralement considérés comme étant les Bermudes, Miami, Floride, et San Juan, Porto Rico.

Dans le passé, les recherches intenses mais futiles dans lesquelles se sont engagés les gardes-côtes à la suite d'incidents comme la disparition totale d'une escadrille de TBM Avengers qui venait de décoller de Fort Lauderdale, Floride, ou le naufrage sans traces du Marine Sulphur Queen dans le canal de Floride, ont attisé la croyance populaire aux caractéristiques mystérieuses et surnaturelles du « Triangle des Bermudes. »

D'innombrables théories ont été avancées pour tenter de lever le voile sur les nombreuses disparitions qui s'accumulent dans les annales de cette région. Les plus logiques semblent relever de la nature de l'environnement ou de l'erreur humaine.

La plupart des disparitions pourraient être attribuées aux aspects géographiques qui sont uniques dans cette partie du globe. D'abord, le « Triangle du Diable » est l'un des deux endroits sur terre où un compas magnétique pointe vers le nord géographique. Normalement, il pointera vers le nord magnétique. La différence entre les deux s'appelle **déclinaison magnétique**. Cette déclinaison atteint jusqu'à vingt degrés quand nous faisons le tour de la planète. S'il n'apporte pas de corrections à cette déclinaison ou erreur, un navigateur pourrait dévier de sa route et avoir de sérieux problèmes.

Une région que les marins du Japon et des Phillipines qualifient de « Mer du Diable », à l'est du Japon, possède les mêmes propriétés. De même que dans le « Triangle des Bermudes », on y déplore plusieurs disparitions mystérieuses.

La nature du Gulf Stream est un autre élément de l'environnement. Il est extrêmement vif et tourmenté, et peut rapidement faire disparaître tous les indices d'un désastre. Le climat capricieux de l'Atlantique-Caraïbes joue également un rôle capital. Les orages soudains et les trombes d'eau font souvent le malheur des pilotes et des marins. Enfin, la topographie du lit de la mer passe des hauts-fonds considérables à la périphérie des îles, aux fonds marins les plus profonds au monde. L'action réciproque des courants violents sur les nombreux récifs exerce une influence constante sur la topographie, et la navigation est sans cesse accablée de nouveaux risques qui se développent avec grande rapidité.

Il ne faudrait pas sous-estimer les erreurs humaines. Un grand nombre de bateaux de plaisance sillonnent les eaux entre la Côte d'Or de la Floride et les Bahamas. Trop souvent ces traversées sont faites sur des embarcations trop petites ; par des amateurs qui ignorent les dangers de la région ; ou par des novices dans l'art de naviguer.

Somme toute, la Défense côtière n'est pas vraiment touchée par les explications surnaturelles des catastrophes maritimes. Nous savons par expérience qu'un mélange des forces de la nature à l'inconséquence du genre humain produit des phénomènes encore plus étranges que la meilleure science-fiction, plusieurs fois par année.

18. LES VICTIMES
DU TRIANGLE DES BERMUDES

Une compilation de Vincent H. Gaddis

Nomenclature des navires et avions disparus, ainsi que des bateaux dont l'équipage s'est évanoui. Voici la liste de ces victimes à compter de l'année 1800. Il sera impossible bien sûr de dresser une liste complète, mais celle-ci comprend les événements les plus remarquables et fut compilée après une étude de la documentation accessible sur le sujet.

1880 Le USS Pickering en route vers la Guadeloupe dans les Antilles, en provenance de New Castle, Delaware, disparut avec son équipage de 90 hommes.

1814 Le USS Wasp, ayant 140 marins à bord, donna signe de vie pour la dernière fois dans les Caraïbes le 9 octobre.

1824 Le USS Wild Cat disparut le 28 octobre avec 14 hommes d'équipage après être parti de Cuba en route pour l'île de Thompson.

1840 Le Rosalie, navire français en route pour la Havane fut découvert abandonné mais en parfaite condition. La seule créature vivante à bord était un canari à demi-mort de faim dans une cage.

1843 Le USS Grampus naviguait vers Charleston quand il fut aperçu au large de Saint Augustine, Floride, le 3 mars. On ne le revit jamais par la suite.

1854 Quoique en excellente condition, la goélette Bella fut trouvée complètement désertée dans la Mer des Antilles.

1855 Il y avait des signes évidents d'une évacuation précipitée lorsque le James B. Chester fut découvert quelque 600 milles au sud des Açores. Toutes les chaloupes de sauvetage étaient encore suspendues à leurs bossoirs. Les provisions et la cargaison étaient intactes.

1880 La frégate HMS Atalanta, navire-école ayant plus de 200 aspirants et matelots à son bord, quitta les Bermudes pour l'Angleterre et disparut.

1881 Une goélette abandonnée fut trouvée à l'ouest des Açores par le Brick Ellen Austin. À bord tout était en ordre, mais son journal de bord et de navigation s'était envolé. Une équipe choisie fut envoyée à bord pour le rescaper. Les deux navires furent séparés par une tempête et quand ils se retrouvèrent, l'équipe de sauvetage était disparue. Une autre équipe fut envoyée à bord. Encore une fois les navires se séparèrent, et l'on ne revit jamais le bateau mystère.

1902 Le 3 octobre, le trois-mâts allemand Freya mit vent dans les voiles pour quitter Cuba et aller au Chili. On le retrouva vingt jours plus tard partiellement démâté et sans équipage. Les bureaux météorologiques affirmaient qu'il n'y avait eu que des vents très légers dans cette région.

1909 Joshua Slocum devint le premier homme à faire un voyage solo autour du globe de 1895 à 1898. Il accomplit cette prouesse de 46 000 milles dans sa yole de 36 pieds, le Spray. Le 19 novembre 1909, il partit de Miami à bord du Spray pour entreprendre, seul, une croisière dans la Mer des Antilles. Slocum et sa célèbre yole ne furent jamais revus.

1910 Le 15 mars, le remorqueur USS Nina partit des chantiers navals de Norfolk vers la Havane. Il fut aperçu au large de Savannah, Georgie, filant à toute vapeur vers le sud. Ensuite il disparut à tout jamais.

1918 Le USS Cyclops, un charbonnier de la Marine, quitta la Barbade pour Baltimore le 4 mars. Son cas est considéré comme l'un des plus déconcertants dans l'histoire de la Marine. Cet énorme vaisseau s'évanouit avec 308 hommes à bord, y compris le Consul général Alfred L. M. Gottschalk.

1921 Mystérieusement abandonné, le 31 janvier le cinq-mâts Carroll A. Deering échoua sur le rivage à Cape Hatteras, Caroline du Nord. Il n'y avait que deux chats vivants à bord.

1921 Durant les premiers six mois de cette année il y eut tant de navires disparus que cinq ministères du gouvernement faisaient des enquêtes. Chacun de ces navires était parti d'un port de la côte est des États-Unis. Quelques-uns avaient pénétré dans la région du Triangle ; d'autres la contournèrent par le nord. Parmi les plus gros bateaux qui s'évaporèrent mystérieusement mentionnons le steamer italien Monte San Michele, le steamer anglais Esperanza de Larrinaga, le navire brésilien Cabedello, le bateau-citerne anglais Ottawa, le transporteur de soufre Hewitt, de même que des vaisseaux plus petits tels que les trois-mâts norvégiens Svartskog, le Steinsund et le Florino. Le sort de ces navires demeure toujours une énigme insoluble. Plusieurs mois plus tôt, deux autres navires avaient quitté la côte est vers l'inconnu. Il s'agissait du steamer espagnol Yute et du trois-mâts russe Albyan.

1925 « Danger comme un poignard maintenant. Venez vite ! » C'était là le dernier message radiophonique transmis par le cargo japonais Raifuku Maru d'une position près des îles Bahamas. On a émis l'opinion que « poignard » aurait pu signifier une trombe d'eau, mais l'on ne retrouva jamais ni débris ni cadavres.

1925 Le SS Cotopaxi, un grand cargo, prit le large à Carleston vers la Havane et disparut.

1925 Parti de Port Newark et voguant vers le sud, le cargo Suduffco entra dans les limbes des perdus avec son équipage de 29 hommes.

1931 Avec 43 personnes à bord, le cargo Stavanger fut aperçu pour la dernière fois au sud du Cat Island dans les Bahamas.

1938 Au mois de mars le Anglo-Australian avec son équipage de 39 hommes disparut quelque part au sud-ouest des Açores.

1940 En février le U.S. Coast Guard trouva le yacht Gloria Colite, de Saint-Vincent, Antilles anglaises, abandonné à 200 milles au sud de Mobile, Alabama. Tout était en ordre. La mer était calme. Il n'y avait pas d'indices qui auraient pu fournir la raison de cette désertion.

1941 Deux bâtiments identiques quittèrent le même port de Saint-Thomas dans les îles Vierges, en route vers Norfolk avec des cargaisons de bauxite. Ils disparurent tous deux à 17 jours d'intervalle. Le Proteus était parti le 23 novembre, et le Nereus le 10 décembre.

1941 Un SOS fut lancé par le cargo Mahukona qui se trouvait à 600 milles à l'est de Jacksonville, Floride : « Nous descendons les chaloupes . . . l'équipage abandonne le navire. » Quatre bateaux se dirigèrent immédiatement vers le cargo en détresse, ils ne purent trouver de débris ni de survivants.

1944 Le cargo cubain Rubicon fut aperçu à la dérive au large de la côte est de la Floride par un petit dirigeable de la marine. Un cutter des gardes-côtes de Miami se rendit sur les lieux et rien ne fut trouvé à bord sauf un chien. Une chaloupe de sauvetage manquait, et une amarre brisée pendait de la proue.

1945 Le 5 décembre, le Flight 19 qui comprenait cinq TBM torpilleurs Avenger, décolla de la base aéronavale de Fort Lauderdale, Floride, pour un vol de routine à l'est de la Floride. À mi-chemin durant la mission des messages radiophoniques révélèrent que les pilotes étaient perdus, que tous les gyrocompas de tous les avions « devenaient fous », et qu'ils ne savaient plus où était l'ouest. Ils estimaient qu'ils se trouvaient à peu près à 225 milles au nord-est de la base. Leur dernière transmission fut coupée au milieu d'une phrase. Un hydravion Martin Mariner ayant treize hommes à son bord fut envoyé pour les secourir. Les cinq torpilleurs de même que l'avion de secours disparurent à tout jamais. Malgré des recherches sur une superficie de 380 000 milles carrés, on ne trouva ni débris, ni nappes d'huile, ni cadavres.

1945 Le 27 décembre on rapporta que deux grandes goélettes manquaient à l'appel. L'une était le Voyager II de 70 pieds, qui naviguait le long de la voie maritime ayant à son bord un officier de l'armée à la retraite ainsi que ses trois enfants adolescents. L'autre était le deux-mâts Valmore qui naviguait au large de la Caroline du Nord avec quatre hommes à bord. Ni l'un ni l'autre ne fut jamais retrouvé.

1946 Le 2 décembre, le City Belle, un deux-mâts de 120 pieds qui était parti de la République Dominicaine et faisait route vers Nassau fit escale à Turks Islands pour décharger une partie de sa cargaison de bois et prendre 22 passagers. Il fut trouvé trois jours plus tard complètement abandonné à environ 300 milles au sud-est de Miami. Les biens personnels des passagers étaient encore à bord. Il ne manquait que les chaloupes de sauvetage. On fit de vastes recherches pour les retrouver mais en vain.

1947 Une superforteresse C-54 de l'armée américaine disparut à 100 milles environ des Bermudes.

1948 Le 30 janvier, le Star Tiger, un énorme quadrimoteur Tudor IV de la **British-South American Airways**, transmit à la tour de contrôle des Bermudes qu'il se trouvait à 400 milles au nord-est. Il disparut alors avec ses 25 passagers et ses six membres d'équipage. Le pilote avait rapporté que les conditions atmosphériques étaient excellentes. Rien ne fut retrouvé malgré des recherches très intensives.

1948 Le jockey de renommée internationale Al Snyder partit de Miami le 5 mars avec deux amis pour aller à la pêche près de Sandy Key. Ils ancrèrent leur yacht de croisière et prirent un skiff pour aller pêcher en eau peu profonde dans les environs. Ils ne revinrent jamais. Plus d'un millier d'hommes entreprirent des recherches ainsi qu'une centaine de bateaux et cinquante avions. Le skiff fut retrouvé près d'une petite île sans nom, pas très loin de Rabbit Key, 60 milles au nord du yacht de croisière. Une récompense de 15 000 dollars fut offerte pour retrouver ces hommes, mais elle ne fut jamais réclamée.

1948 Un avion de transport DC-3 qui avait été loué pour un vol très matinal de Porto Rico à Miami transportait 32 passagers et 3 membres d'équipage. C'était le 28 décembre et les passagers venaient de passer leur congé de Noël dans l'île. À cinquante milles au large, alors qu'il pouvait voir les lumières de Miami qui brillaient devant lui, le capitaine transmit son dernier message que tout allait bien et qu'il attendait les instructions pour l'atterrissage. Il n'arriva jamais. Encore une fois, point de débris et point de cadavres.

1949 Le 17 janvier, le Star Ariel, navire identique au Star Tiger qui était disparu un an auparavant, effectuait le vol de 4 heures et de 1 000 milles entre les Bermudes et la Jamaïque quand le vétéran-pilote rapporta que le temps était beau. Puis, l'avion de transport s'évapora dans l'air léger qu'il traversait. De vastes recherches par terre et par mer furent entreprises par la Marine des États-Unis qui faisait alors des manoeuvres d'exercices au sud des Bermudes. Tout fut en vain.

1949 Pendant que les recherches pour le Star Ariel se poursuivaient, un bateau de pêche le Driftwood disparut au cours d'une traversée entre Fort Lauderdale et Bimini avec cinq hommes à son bord.

1950 Un Globemaster américain disparut au mois de mars alors qu'il volait vers l'Irlande.

1950 En juin, le SS Sandra, cargo de 350 pieds, partit de Savannah, Georgie, pour le Venezuela. On le vit passer à Jacksonville et à Saint Augustine le long de la côte, sur une mer calme. Puis, il disparut sans laisser de traces.

1950 Au cours de ce même mois de juin, un DC-3 qui appartenait à la **New Tribes Mission of Chico**, Californie, s'envola de

Miami pour le Venezuela avec dix missionnaires et cinq enfants. Il fit escale à Kingston pour faire le plein et se dirigea ensuite vers Maracaibo. Mais il prit plutôt le chemin des disparus.

1951   Condamné à la ferraille, le Sao Paulo et huit hommes d'entretien, étaient toués par deux remorqueurs de long cours au cours de la nuit du 3 au 4 octobre, au sud-ouest des Açores. La mer était mauvaise et l'un des remorqueurs relâcha ses câbles. Au petit matin le Sao Paulo était disparu ne laissant que des bouts de câbles brisés au deuxième remorqueur. Lui aussi avait franchi la frontière des bateaux disparus.

1953   Un avion anglais du type York ayant à son bord 33 passagers et 6 membres d'équipage, s'évanouit au cours d'un vol vers la Jamaïque. Dans ce cas un signal de détresse fut transmis mais se termina abruptement sans explications et sans que le pilote ne fasse mention de sa position.

1954   Un super-constellation de la marine américaine disparut au nord de la région du Triangle. Il y avait 42 personnes à bord, dont des femmes et des enfants. Le gros appareil était muni de deux transmetteurs, mais aucun signal ne fut transmis.

1954   Le Southern Districts, bateau-citerne, faisait route de Port Sulphur, Texas, vers Bucksport, Maine, quand il disparut au mois de décembre. C'était un LST de la marine que l'on avait transformé, il avait 328 pieds de longueur et un équipage de 23 hommes.

1955   En janvier la goélette de 65 pieds Home Sweet Home partit des Bermudes vers Antigua à travers la Mer des Sargasses. Il disparut avec sept personnes à bord dans ce que l'on a déjà appelé « cimetière des bateaux perdus. »

1955   Le yacht Connemara IV, enregistré à New York, fut trouvé abandonné et à la dérive à 400 milles au sud-ouest des Bermudes, au mois de septembre.

1956   Le 5 avril, un B-25 qui était devenu un avion de transport pour les civils disparut au sud-est de Tongue of the Ocean avec trois personnes à bord.

1956   Un hydravion de patrouille Martin P5M disparut avec ses dix membres d'équipage près des Bermudes le 9 novembre. Aucun signal de détresse ne fut entendu.

1958   Le premier jour de l'an, le yacht de course Revonoc, propriété de l'éditeur Harvey Conover, marin d'expérience, disparut au cours de la traversée entre Key West et Miami, voie maritime où l'on a toujours la terre en vue.

1962 Un énorme avion-citerne KB-50 des forces aériennes s'envola de la base de Langley, Virginie, le 8 janvier pour une mission de routine. Peu longtemps après, la tour reçut un signal de détresse dont les sons étaient déformés. Les recherches commencèrent aussitôt mais l'on ne retrouva aucune trace de l'appareil ni des huit hommes qui se trouvaient à son bord.

1963 Avec ses 39 hommes d'équipage, le Marine Sulphur Queen commença son dernier voyage le 2 février à Beaumont, Texas, pour faire route vers Norfolk. Deux nuits plus tard une transmission radiophonique disait que le vaisseau se trouvait près de Dry Tortugas. Quand il manqua à l'appel, on commença aussitôt les recherches. Quelques débris et un gilet de sauvetage que l'on croit provenir de ce bateau-citerne furent retrouvés à quatorze milles au sud-est de Key West.

1963 Quoique quelques débris furent retrouvés, le bateau de pêche de 63 pieds Sno' Boy est inscrit sur la liste des victimes du Triangle. Il quitta Kingston le 2 juillet en route pour Northeast Cay, 80 milles au sud-est de la Jamaïque, avec 40 personnes à bord.

1963 Deux nouveaux quadri-propulseurs Stratotanker KC-135 s'envolèrent de la base aérienne Homestead, au sud de Miami, pour déterminer les points de ravitaillement au-dessus de l'Atlantique. Au total, il y avait onze hommes d'équipage. Le temps était beau. Leur dernière communication avant de disparaître disait qu'ils se trouvaient à 300 milles au sud-ouest des Bermudes.

1963 Un Cargomaster C-132 disparut le 22 septembre pendant qu'il volait vers les Açores.

1965 Un cargo aérien C-119 des forces de réserve ayant dix hommes à son bord, décolla de la base Homestead le 5 juin pour se diriger vers Grand Turk Island. Des recherches intensives se terminèrent par ce rapport des gardes-côtes : « Résultats négatifs. Nous ne pouvons émettre de conjectures. »

1965 George Boston fut le premier étudiant de première année à Harvard à compter un touché contre Yale au cours d'un match de football. Le 28 octobre, alors qu'il livrait le El

Gato, bateau-maison du type catamaran à un acheteur de Porto Rico, il disparut quelque part entre Great Inagua et les îles Grand Turk.

1967 Un chasseur YC-122 que l'on avait transformé en avion de transport, disparut avec trois hommes à son bord entre Palm Beach et les Grandes Bahamas le 11 janvier.

1967 Robert Van Westerborg, consultant industriel de Miami, et Phillip de Berard, Jr, directeur de la **Southern Bell Telephone Company**, ainsi que leurs femmes, décollèrent de Key Largo pour aller photographier l'emplacement du nouveau poste de relais à hyperfréquence. L'avion et ses quatre passagers disparurent à tout jamais. C'était le 14 janvier.

1967 Le 11 janvier, Phillip Quigley disparut dans son petit avion entre Cozumel et le Honduras.

1967 Un bimoteur Piper Apache disparut le 18 janvier au cours d'un vol entre San Juan et Saint-Thomas. En même temps périrent Stephan R. Currier, philanthrope bien connu, et sa femme qui était la fille de David Bruce, ambassadeur des États-Unis en Grande-Bretagne et héritière d'une fortune de 700 millions de dollars.

1967 James Horton et Charles Griggs, deux médecins de la Floride, disparurent le 23 mars au cours d'un vol entre la Jamaïque et Nassau. Un appel de détresse fut entendu par un pilote militaire, et ensuite ce fut le silence.

1967 En octobre, Monsieur et madame Hector Guzmán, de Porto Rico, rentrait de Fort Lauderdale. Ils firent le plein de leur bimoteur à Great Inagua Island et décollèrent vers l'inconnu.

1967 Dan Burrack, hôtelier de Miami Beach, en compagnie de deux amis, partit sur son yacht de plaisance le Witchcraft le 22 décembre pour se rendre à la bouée numéro sept, à un mille du rivage, afin de contempler les lumières de Noël de la ville de Miami. À 21 heures, les gardes-côtes reçurent un message par radio en provenance de Burrack qui disait que son bateau était en panne après que ses hélices eurent frappé un objet submergé. Il ajouta qu'il ne courait aucun danger. Dix-huit minutes plus tard un bateau des gardes-côtes arrivait à la bouée. Seule la bouée était là ; il n'y avait aucune trace du bateau en panne ni de ses occupants.

1968 Le cargo Ithaca Island disparut au cours d'une traversée de

Norfolk à Liverpool.

1969 Le 6 juin, Caroline Coscio, infirmière de Miami Beach, ainsi qu'un camarade décollèrent de Pompano Beach, Floride, vers la Jamaïque. Ils firent le plein à Georgetown, et se dirigèrent vers Grand Turk Island. À 19h35, l'opérateur à la tour de Grand Turk reçut une communication lui disant que les appareils d'orientation ne fonctionnaient pas et que la jeune infirmière était perdue. Elle ajouta qu'elle se trouvait au-dessus de deux petites îles, mais « il n'y avait rien là ». Au même moment, des pensionnaires de l'hôtel Ambergris Cay regardaient son avion qui tournait en rond. Ensuite elle s'éloigna et son dernier message à 20h22 disait : « Mon réservoir est à sec ! Je perds de l'altitude ! »

1969 Dans une période de douze jours, entre le 30 juin et le 10 juillet, on trouva cinq bateaux abandonnés à la dérive à peu près dans la même région de l'Océan Atlantique. Le sloop de vingt pieds Vagabond fut trouvé par le navire suédois Golar Frost. Le steamer anglais Cotopaxi trouva un yacht qui naviguait vers l'est à l'aide de son pilote-automatique. Il n'y avait pas âme qui vive à bord. Le Maplebank découvrit un bateau de 60 pieds qui flottait la quille en l'air. Le Picardy trouva le Teignmouth Electron. Un vaisseau de 69 pieds fut également trouvé, chaviré, par le bateau-citerne britannique Helisoma.

1969 Le 4 novembre, le yacht Southern Cross fut trouvé mystérieusement abandonné au large de Cape May, New Jersey.

1970 Le cargo Milton Iatrides disparut alors qu'il faisait route de la Nouvelle-Orléans vers Cape Town.

1971 Le 3 avril, le cargo Elizabeth partit de Port Everglades en route pour le Venezuela avec un chargement de papier. Deux jours plus tard il indiqua par radio que sa position était dans le Windward Passage entre Haïti et Cuba. Par la suite, il disparut.

1971 Le chasseur à réaction F-4 Phantom II décollait de la base aérienne de Homestead le 10 septembre. On le suivait sur un écran de radar et le relèvement situait l'avion à 85 milles au sud-est de Miami. Soudain, le « spot » sur l'écran, disparut. On se mit immédiatement à l'oeuvre pour faire des recherches dans cette région, mais sans résultats. À cet endroit, la profondeur de l'eau ne dépasse pas trente pieds.

1971 Le navire de 338 pieds, le Caribe quitta la Colombie le 9 octobre pour livrer sa cargaison à la République Dominicaine. Il avait 28 hommes d'équipage à son bord. La dernière fois qu'on eut des nouvelles il était rendu à mi-chemin. On ne capta aucun signal de détresse.

1971 Le Lucky Edur, bateau de pêche de 25 pieds muni d'un appareil radio, fut trouvé abandonné le 31 octobre au large de la côte du New Jersey par les gardes-côtes. Le temps était excellent. Ses dix bouées de sauvetage étaient encore à bord.

1972 Le 21 octobre un avion de la Flamingo Airlines s'envola de Bimini et disparut sans laisser de traces.

1973 Le Anita, cargo de 20 000 tonnes avec 32 hommes d'équipage, leva l'ancre à Norfolk et plongea dans l'inconnu le 21 mars.

1974 Le yacht de 54 pieds Saba Bank quitta Nassau le 10 mars, question de s'acclimater, pour une croisière vers Miami. Les gardes-côtes le recherchèrent sans résultats jusqu'au 27 avril.

19. LE DÉSASTRE NOUS FASCINE

par Martin Ebon

Pourquoi existe-t-il une fascination nationale, sinon mondiale pour les désastres et menaces de désastre ? Au fil des ans, les prétendus prophètes ont tout prédit depuis la date exacte de la désintégration du sud de la Californie, jusqu'à la « Fin du Monde ». Du point de vue de M. Ebon, on pourrait y voir une fascination psychologique sous-jacente pour la panique et la terreur, pour les menaces des puissances irrésistibles du surnaturel, et pour l'existence de forces inconnues. Martin Ebon, l'éditeur de ce livre, a servi douze ans comme secrétaire administratif de la « *Parapsychology Foundation* » et a édité divers livres et périodiques dans le domaine de l'occulte et des perceptions extrasensorielles. Parmi ses travaux citons : *Prophecy in Our Time, They Knew the Unknown*, et *The Devil's Bride : Exorcism, Past and Present*.

Soyons réalistes : il n'y a virtuellement aucune chance de prouver ou de réfuter le phénomène de base du Triangle des Bermudes avec la technologie scientifique actuelle. Nous pouvons peut-être trouver quelque explication concrète pour l'une ou l'autre des disparitions mystérieuses, ou encore découvrir à la fin qu'elle est inexplicable. Mais nous ne pourrons jamais avec les méthodes actuelles, toucher le facteur premier qui les gouverne toutes.

Leur intermittence même fait déjà l'objet de discussions. Vincent Gaddis, qui regrette maintenant d'avoir utilisé le terme « Triangle », remarque que les disparitions ont eu lieu dans une région peu facile à déterminer. Et Ivan Sanderson, qui a parlé de régions en forme de losange dans différentes parties du monde, a aussi admis qu'elles étaient difficiles à situer dans n'importe quelle forme géométrique précise.

Or, nous savons maintenant qu'en vérité ces catastrophes n'appartiennent pas à une région particulière. Elles sont les résultats d'une brochette d'événements défiant toute étiquette géométrique exacte.

Ensuite, soyons bien attentifs au fait que ces disparitions d'avions, de bateaux et de personnes se sont produites pendant une période de temps relativement longue. Par conséquent, les documents qui nous sont disponibles sont loin d'être uniformes en qualité. Le USS Cyclops est disparu durant la Première Guerre Mondiale ; les avions Avenger durant la Seconde. D'autres disparitions ont eu lieu avant, après et entre les deux guerres. Le témoignage humain est sujet à déformation, comme tout psychologue amateur le sait bien. Le plus banal accident d'auto sera décrit de façons très différentes quant à ses causes et les responsabilités.

En d'autres mots, nous avons affaire ici à un étrange assortiment d'événements qui ont été appelés « mystérieux » pour une foule de raisons. Tout ce que l'on ne peut facilement expliquer peut recevoir l'étiquette de mystérieux, d'autant plus que tout le monde se passionne pour un mystère. Si quelque chose ne peut s'expliquer, ou si l'explication est trop prosaïque, une hypothèse de conspiration plaira beaucoup plus souvent que la vérité toute nue. Ce qui explique pourquoi, plus de dix ans après l'assassinat du Président John F. Kennedy, les bruits et les rumeurs de nouvelles conspirations possibles continuent de circuler.

Dans les discussions sur un complot, il y a habituellement référence à l'évasif « Ils », ou « Eux », qui sont sensés avoir planifié un coup d'état, un meurtre, une crise économique, une hausse ou une chute de la bourse, une guerre ou tout autre désastre. Il existe pourtant assez de conspirations authentiques ou soi-disant conspirations pour satisfaire tout chercheur avide de connivences. Mais « Ils » sont accusés d'événements plus dramatiques qu'une escroquerie sur les terrains de l'Arizona ou que l'effondrement d'un condominium de la Floride. On a même suspecté une sorte de « Ils » d'avoir été derrière toute une série d'événements bizarres des dernières décades, particulièrement les apparitions d'**Objets Volants Non Identifiés** (OVNI), aussi connus comme « Soucoupes Volantes ».

En effet, cette fascination pour le Triangle des Bermudes offre des similarités avec cette excitation pour les OVNI. Nous avons remarqué des vagues d'intérêt populaire dans des domaines connexes, comme l'hypothèse que la terre fut visitée par des « **dieux venus de l'espace** » auxquels on attribue un grand rôle dans l'établissement de notre technologie, de nos croyances et de notre mode de vie. Côtoyant ces impressionnantes et inexplicables idées, se retrouve la fascination du cinéphile par des sujets tels que les tremblements de terre dévastateurs, l'engloutissement de gigantesques paquebots et les incendies incontrôlables de gratte-ciel.

D'où vient cet intérêt pour le désastre ? La réalité n'est-elle pas déjà assez pourvue de problèmes sans que l'on y ajoute des tueries générales inventées pour les besoins du scénario, incluant des histoires et des films à propos d'invasions de millions d'insectes voraces ou de microbes de l'espace ?

La réalité, semble-t-il, n'est jamais assez ! Nous voulons plus, plus, et plus encore. Vous souvenez-vous des premiers alunissages ? Nous étions tous fixés à nos appareils de télévision, nous levant à 04 heures pour assister à la transmission en direct des astronautes explorant le territoire lunaire. Puis, jusqu'à quel point pouvons-nous être blasé ! Plus tard les alunissages nous ont semblé monotones, et nos héros astronautes d'hier font maintenant des tournées de promotion commerciale, révèlent leurs crises émotionnelles dans des autobiographies, ou divorcent bien tranquillement.

Ceux-ci, avons-nous découvert, ne sont pas des surhommes. Pas plus d'ailleurs que nos têtes d'affiche du gouvernement, de l'industrie, de la religion, du spectacle ou de l'éducation qui ne nous impressionnent plus ou ne nous inspirent plus confiance, s'ils l'ont jamais fait, et nous voilà à la recherche de . . . de quoi ?

Nous recherchons des dieux.

Nous recherchons des êtres plus puissants et plus sages que nous le sommes. Nous voulons être rassurés et, à défaut, nous recherchons la peur et la terreur. Si des êtres surnaturels subtilisent des avions dans le ciel, enlèvent ou déplacent des navires, alors ces créatures sont plus puissantes que nous. Ils sont des êtres d'essence divine. Peut-être même sont-ils si puissants qu'ils connaissent les réponses aux questions qui nous laissent bouche bée. Nous voici à la fin du 20e siècle et nous nous sentons comme si nous étions le groupement humain le plus ahuri que la terre ait jamais connu.

Alors nous voyons un plan d'action dans les choses impressionnantes et même dans les coïncidences et les choses inexplicables. Sanderson a raison quand il voit un rapprochement dans les disparitions et tente de les classifier. Lawrence Kusche a raison quand il pense qu'une bonne partie des théories sur le Triangle des Bermudes ne sont guère mieux que des châteaux de cartes, chacune des preuves n'étant qu'une carte adossée à une autre ou posée dessus.

Rien de cela ne date d'hier pourtant. Nous n'avons pas inventé une ligne de pensée qui, à partir de cet intérêt morbide pour les OVNI, a créé les dieux interstellaires, ou des disparitions dans un triangle marin, un centre de fascination pour la masse. Le philosophe anglais David Hume (1711-1776) a écrit dans ses « Essays » : : « Les Prodiges, les Signes, les Oracles et les Jugements tendent à enténébrer les quelques faits authentiques qui s'y trouvent mêlés. » Il souligne « la tendance naturelle de l'humanité vers le merveilleux » qui a peut-être perdu un peu de sa force, mais « ne pourra jamais être entièrement éliminée de la nature humaine ».

Le professeur Gustav Jehoda, de l'Université de Strathclide à Glasgow, Écosse, note dans son livre, **The Psychology of Superstition**, que des sondages psychologiques ont révélé certains types de personnalité particulièrement sujets à des croyances superstitieuses, notamment que « la destinée de chacun est à la merci de certains pouvoirs extérieurs, gouvernée par des puissances que nul ne peut contrôler. » La science n'est pas un vaccin contre la superstition. Certaines données scientifiques peuvent être utilisées pour alimenter la pensée superstitieuse. Par exemple, la faille de Saint-Andreas qui s'étend du nord au sud dans la Californie du Sud, peut non seulement supporter l'analyse objective que cette région est plus sujette aux tremblements de terre que d'autres, mais peut aussi inciter certains prophètes de malheur à prédire des dates spécifiques pour de tels désastres. Heureusement, toutes ces prédictions ont été fausses jusqu'ici.

Certaines périodes d'inquiétudes facilitent cet intérêt pour le surnaturel. Nous vivons à une époque de changements tellement rapides et de tant d'incertitudes, que même certaines croyances illusoires recueillent des adeptes. Nous sommes forcés de rajuster nos systèmes philosophiques, nos valeurs morales et même financières avec une telle vitesse que notre génération souffre, comme il a été si bien dit, du « Choc du Futur ». On ne s'étonne plus alors que les plus petits indices de forces surnaturelles, même si elles sont engagés dans des activités aussi inexplicables que la subtilisation d'avions et de bateaux des Caraïbes sans laisser de traces, puissent attirer notre intérêt ambivalent.

Mais souffrons-nous vraiment de plus de tension que les générations et les siècles qui nous ont précédé ? Chacun se croit unique. Ce que le regretté Henry Luce a déjà qualifié de « Siècle Américain » a produit de tous nouveaux risques, défis et craintes. Et pourtant, le philosophe hollandais Baruch Spinoza (1632-1677) trouvait déjà dans sa propre société que « les hommes ne seraient jamais superstitieux s'ils pouvaient soumettre toute situation à des lois, ou s'ils étaient toujours favorisés par le hasard ». Cependant, il a écrit dans son **Tractatus Theologoco-Politicus** que nous sommes « fréquemment amusés de certaines situations où toutes les lois sont inutiles, et où nous nous retrouvons balancés impitoyablement de l'espoir à la peur par l'incertitude des faveurs d'un hasard si mesquin. » Ainsi, comme le concluait Spinoza, « les hommes sont pour la plupart très crédules. »

Je crois que l'énigme du Triangle des Bermudes doit être étudiée en tenant compte qu'elle a comme toile de fond la crise culturo-religieuse de notre temps. Je le répète, l'homme est à la recherche de dieux, s'adressant avec espoir ou désespoir à des êtres plus grands que l'homme lui-même, et certainement plus efficaces que lui dans la direction de la vie sur terre. C'est devenu Vérité de la Palice que nous sommes témoins d'une renaissance de l'occultisme à cause de l'échec des religions établies à faire face aux besoins de la société actuelle. Mais ceci n'est que vérité partielle. Le Fondamentalisme religieux a démontré jusqu'à maintenant une résistance constante remarquable dans toute dénomination. Et d'ailleurs, c'est dans la Bible que nous trouvons les parallèles apocalyptiques à certaines des scènes suggérés par des rapports de disparitions dans le Triangle des Bermudes. Saint-Jean, dans les Révélations, décrit une scène d'une grande ressemblance à d'autres scènes de désastres d'avions et de bateaux dans la région. Jean a pu être témoin d'une secousse sous-marine dans la Mer Égée durant son séjour à l'île de Patmos. La **New English Bible** le cite comme ayant dit : « . . . et j'ai vu une étoile qui était tombée du ciel vers la terre, et à l'étoile fut donnée la clé de l'abîme ; et du puits s'éleva de la fumée pareille à celle d'un haut fourneau, et le soleil et l'air s'assombrirent de la fumée du puits. »

Les Révélations ont toujours exercé un certain attrait pour les peintres et les poètes apocalyptiques. C'est une oeuvre de puissance épique sur le péché, la souffrance, le désastre et la rédemption ; c'est une oeuvre pour tous les âges, y compris le nôtre. Elle nous parle, en ces temps où nous nous réveillons aux dangers du suicide écologique, des guerres engendrées par la famine, et le risque généralisé de simplement épuiser les ressources de la terre par avarice ou surpopulation.

Mais alors, quelle est cette chose au-dedans de nous qui ne demande qu'à être sauvée ou détruite par un **Pouvoir Plus Grand que Nous** ?

Les psychologues et autre psychothérapeutes, depuis Sigmund Freud et C.G. Jung, ont spéculé sur ce que les sentiments de notre enfance à l'égard de nos parents, notamment nos pères, se réflétaient durant toute la vie dans nos attitudes envers Dieu, la religion et tout ce qui touche au surnaturel. La ferme et honorable « Image Paternelle » est devenue chose du passé dans notre société. Nous n'avons plus maintenant de rois ou de reines, non plus la soi-disant royauté des étoiles d'Hollywood, ni cette atmosphère rappelant Camelot qui planait sur Washington durant le « règne » de John et Jacqueline Kennedy. À la place, nous ressentons une certaine réaction contre les têtes dirigeantes, ou même leurs prétendants, et ce à tous les niveaux de notre société moderne, notamment depuis l'affaire Watergate durant l'administration du Président Richard M. Nixon. On ne s'étonnera plus qu'on cherche ailleurs la fermeté et l'honorabilité, la puissance et la force qui semblent s'être évanouies de la société humaine.

Les disparitions du Triangle des Bermudes impliquaient des choses très matérielles : des bateaux et des avions. Naturellement, il y avait des gens sur ces transports, mais les comptes rendus insistent surtout sur la taille et le type des bateaux, leur capacité, leur itinéraire et leur performance technique. Cette insistance est significative, parce qu'elle implique que la disparition de quelque chose d'aussi prosaïque qu'un cargo de soufre est en quelque sorte plus saisissante que celle de ses passagers. Il y a une illusion de certitude matérielle dans l'envergure d'un avion, dans la puissance motrice d'un bateau ; tout est très technique, moderne et, par conséquent, un genre de surnaturalisme sans équivoque.

Le Dr. Harold F. Searles, psychiatre de Washington, D.C., dont l'expérience pratique est considérable, note dans son livre **The Nonhuman Environment** que nous avons tendance à projeter nos émotions propres dans des objets inanimés. Je crois que l'une des plus traumatisantes expériences de la société américaine des années 1970 fut la fin de sa lune de miel avec l'automobile, quand celle-ci perdit son rôle de compagne ensorcelante traitée aux petits soins et ne devint guère plus qu'une encombrante buveuse d'essence. De toute façon, le Dr. Searles retrace certains éléments non-humains parmi « les plus élémentaires constituants de l'expérience humaine ». Il écrit ! « Il y a dans chaque individu une telle prise de contact, que ce soit au niveau conscient ou inconscient, avec son milieu non-humain, que cette prise de contact est un aspect d'une importance transcendantale sur l'existence humaine.

Ne nous ont-ils pas alors permis de dire que si les bateaux et les avions perdus dans le Triangle des Bermudes ont attiré notre attention à ce point, ce n'était que parce que nous y voyions une projection de nous-mêmes, un symbole de notre propre rôle de créatures confuses et sans défense, à la merci de vastes forces inconnues, qu'elles soient amicales, ou hostiles, ou neutres ?

Je crois que c'est précisément ce qui est arrivé. Les preuves appuyant la théorie des Bermudes sont minces et fragmentaires ; mais les preuves à l'appui de l'influence qu'exerce sur nous le concept sous-jacent du Triangle sont extraordinaires. La recherche de dieux nouveaux a commencé avant même que l'homme ne soit capable de fixer ses pensées sur tablettes cunéiformes, sur papyrus, de façon manuscrite ou imprimée. Notre technologie l'a accélérée. L'allure est fiévreuse, le champ grand ouvert. Les fondamentalistes gurus, défenseurs du contrôle mental, astrologues, voyants d'toute sorte, porte-paroles de Nouvelles Religions, d'un Nouveau Paganisme, et d'une adhésion rigide aux Écritures, sont en compétition pour nos cerveaux et, présumément, nos âmes.

Nous sommes en réalité à la recherche de certitudes qui n'existent pas, et si elles existent, nos cerveaux et nos sens sont probablement insuffisamment équipés pour les reconnaître. Des civilisations sous-marines sont peut-être en train de défendre leur propre écologie contre nos convois des Caraïbes et de l'Atlantique. Des objets volants non-identifiés s'emparent peut-être d'avions en plein vol pour certaines expériences de laboratoire que vous et moi ne pouvons imaginer. Certaines forces magnétiques impersonnelles s'amusent peut-être avec nos lois naturelles connues. Mais la seule chose dont nous puissions être sûrs est notre propre fascination et, jusqu'à un certain point, ses raisons d'être. Mais au-delà de tout ceci, prenons comme guide le grand philosophe du douzième siècle Moses Haimonides qui a écrit : « Apprends à ta langue à dire 'je ne sais pas'. ».

BIBLIOGRAPHIE

Berlitz, Charles, **The Bermuda Triangle**. New York, Doubleday & Co., 1974.

Burgess, Robert F., **Sinkings, Salvages, and Shipwrecks**. New York, American Heritage Press, 1970.

Gaddis, Vincent, **Invisible Horizons**. Philadelphia, Chilton Books, 1965.

Gould, Rupert, **Enigmas**. New Hyde Park, N.Y., University Books, 1965.

Hoehling, A.A., **They Sailed into Oblivion**. Cranbury, N.J., Thomas Yoseloff & Co., 1958.

Kusche, Lawrence David, **The Bermuda Triangle Mystery—Solved**. New York, Harper & Row, 1975.

Sanderson, Ivan T., **Invisible Residents**. New York, World Publishing Co., 1970.

Spencer, John Wallace, **Limbo of the Lost**. Westfield, Mass., Phillips Publishing Co., 1969.

Villiers, Alan, **Wild Ocean**. New York, McGraw-Hill, 1957.

Winer, Richard, **The Devil's Triangle**. New York, Bantam Books, 1974.

PARLONS DE L'ÉDITEUR

Martin Ebon fut secrétaire administratif de la Fondation pour la parapsychologie et, par la suite, consultant de la Fondation pour l'étude de la nature de l'homme. Il a animé des séries de conférences intitulées : « Parapsychologie : de la magie à la science », au **New York School for Social Research**, à New York. Il fut l'éditeur de périodiques tels que le trimestriel **Tomorrow**, le savant **International Journal of Parapsychology**, et **Spiritual Frontiers**, organe de la Fraternité des frontières spirituelles.

Monsieur Ebon a publié des articles et des comptes rendus dans **Saturday Review** et le **U.S. Naval Institute Proceedings**. Il est l'auteur de plus de quinze livres. Mentionnons : **Exorcism : fact not fiction, The psychic scene**, et **True Experiences in Prophecy**.